THIS BOOK COMES WITH FREE AUDIO DOWNLOADS!

Visit www.functionallyfluent.com and click on "Audio Download" to receive an email with free MP3 audio tracks, corresponding to each unit of this book.

We recommend using these companion audio files along with the book, since the book is an essential visual component of this course. You can also use the audio tracks on their own as a review, after completing exercises or units in the book.

Not a fan of downloads? No problem! Go to www.functionallyfluent.com to purchase a tangible, hard-copy CD!

Printed in the United States of America.

Library-of-Congress-Cataloging-in-Publication Data
Gruber, Diana
Functionally Fluent! – Spanish – Beginners – First Functions

Photo of Madonna on p. 6 – JStone/Shutterstock.com
Photo of George Lopez on p. 24 – Tinseltown/Shutterstock.com
Photo of Will Smith on p. 24 – Kaliva/Shutterstock.com
Photos of Jennifer Lopez and Cameron Diaz on p. 24 – s_bukley/Shutterstock.com
Photo of food vendor on p. 85 – littleny/Shutterstock.com

HOW TO USE THIS COURSE

FOCUS ON FIVE

① FUNCTIONS – *DO STUFF* IN SPANISH!

As a busy adult learner, you want to learn Spanish for practical, everyday purposes. You want to understand your friends and neighbors, travel, or connect with people at work. You want to be able to order food, start a conversation, or make a polite request. In short, you want to ***do stuff in Spanish***. These everyday goals are called "functions," and this book helps you reach these goals.

You can track your progress as you learn new functions, with the **I Can Do It In Spanish!** checklists at the end of each chapter, and the **I Did More in Spanish!** final review. Each level teaches you at least fifty functions in Spanish. After all three levels, you will be able to **do at least 150 things**, and will confidently say: **"I speak Spanish!"** – **"¡Hablo español!"**

② FLUENCY – RELAX AND DO YOUR BEST!

Perfectionists beware! Speaking fluently doesn't mean speaking perfectly – nobody speaks any language perfectly. You can speak ***fluently***, though! **Fluency means your language flows** and you get your point across. It means you make yourself understood and understand others with increasing ease. It means you can perform a wide variety of functions. You can do all this, and still make a few mistakes. So go easy on yourself, and go with the flow!

③ FREQUENTLY-USED WORDS – BE A MINIMALIST!

Did you know that English has about one million words, yet we use only .2% of these in everyday language? Other languages are similar, and Spanish is no exception! Why overload your brain with unnecessary concepts? As a beginner, **focus on the things that really matter!**

As you advance to higher levels, your vocabulary will increase exponentially and you will build on this solid foundation. Plus, you will **<u>retain</u> more words and phrases** if you are not suffering from "information overload." Keep it simple, fast, and functional!

④ FRIENDS AND FAMILY – LET PEOPLE IN YOUR LIFE HELP YOU!

There are **45 million Spanish-speakers in the United States – bet you know at least one!** Spanish may even be a predominant language in your own U.S. town. No matter your situation, grab a Spanish-speaker and enlist their help! Hire a tutor, pair up with a friend, or join an instructor-led Spanish class. Explore outside resources like Spanish-language practice groups, or tune into Spanish-language television or radio. This course is a great primary or complementary resource for any situation, and gives you practical milestones and tools!

⑤ FUN – ENJOY!

You decided to learn Spanish because you want to connect more, learn more and do more. Why? **Because it's fun!** Keep this objective in mind, and have a blast learning Spanish!

HOW TO USE THIS COURSE

FEATURES AND SECTIONS

The **¡PRACTICA!** boxes are the most important part of this course! Use these fun, engaging exercises to practice speaking with ***real people*** in your life. This may include a tutor, a teacher, a Spanish-speaking friend or neighbor, or even a fellow Spanish-learner. Learning to speak a language means actually ***speaking*** – that is, communicating with others interactively. (Sorry, listen-and-repeat-into-a-microphone doesn't count.) So go out and **¡PRACTICA!** with your friends!

SPANISH CAN BE SNEAKY

Sometimes it's important to focus on the exception rather than the rule. The **SPANISH CAN BE SNEAKY** boxes point out the hiccups you may encounter while learning Spanish, and help answer questions about unexpected breaks in patterns.

QUIZ AND BE QUIZZED!

It's important for learners to drill new vocabulary immediately upon learning it. The **QUIZ AND BE QUIZZED** section allows learners to do this in an interactive fashion.

GRASPING GRAMMAR

Grammar can be overrated and overtaught, so this course doesn't focus on it. Once in awhile, though, learners find it useful to have patterns explained. The **GRASPING GRAMMAR** boxes are designed to provide grammar explanations on an as-needed basis.

LET'S REVIEW!

Frequent review is essential to memory-building and language-learning, especially for adults. You're encouraged to review past lessons before starting new lessons. **LET'S REVIEW** offers helpful reminders and appropriate exercises.

I CAN DO IT IN SPANISH!

As a busy adult learner, you know the importance of setting and reaching goals. The **I CAN DO IT IN SPANISH** sections help you quantify and track your progress from chapter to chapter and level to level, so you feel a sense of accomplishment as you learn new functions and learn to **do it in Spanish**!

¡MUY BIEN!

SPANISH PRONUNCIATION

FOCUS ON FIVE - FOCUS ON THESE FIVE COMPONENTS OF PRONUNCIATION:

① PURE VOWELS

Spanish has only five vowel sounds, represented by five letters:

a – pronounced ah (as in taco)
e – pronounced eh (as in enchilada)
i – pronounced ee (as in tequila)
o – pronounced oh (as in arroz con pollo)
u – pronounced oo (as in churro)

Be careful not to add closed sounds to these vowels, as we would in English:

taco = tah-coh, not tah-couw
padre = pah-dreh, not pah-dreay

Keep your vowels pure and you're halfway to sounding like a native speaker!

② DIPTHONGS – SPECIAL VOWEL COMBINATIONS

Dipthongs are vowel combinations that include **i**, **y** or **u** sounds. These sounds combine with a pure vowel sound (or with each other) to form a single syllable. These are the Spanish dipthongs:

ya	**ay**	**ia**	**ai**	**ua**	**au**
ye	**ey**	**ie**	**ei**	**ue**	**eu**
				ui	**iu**
yo	**oy**	**io**	**oi**	**uo**	**ou**
yu	**uy**	**iu**	**ui**		

Unlike many English dipthongs, Spanish dipthongs are pronounced like they are written:

yuca – yuca
dios – dios
soy – soy

house – haus
ate – eit
why – wai

③ FAMILIAR CONSONANTS

Most Spanish consonants are similar to their English counterparts.

Spanish	English
b	**b** or **v***
c	**k** before a, o, u; **ss** before i or e; **th** (as in English "think") in Spain
d	**d**, or **th** (as in English "the") between vowels
f	**f**
g	**g**, or **h** before i or e
h	silent in Spanish
j	**h**

Spanish	English
k	**k**
l	**l**
m	**m**
n	**n**
p	**p**
q	**k**
r	**r** short version of a trilled "Scottish r"

Spanish	English
s	**ss**
t	**t**
v	**b** or **v***
w	**w**
x	**ks** (as in "conexión") or **h** (as in "México")
y	**y**
z	**ss**, or **th** as in English "think" in Spain

*In most cases, Spanish **b** and **v** are pronounced identically. The sound for both is halfway between a **b** and **v** sound in English.

④ UNFAMILIAR CONSONANTS

Spanish has three consonants that we do not have in English.

ll	closest English sounds – **y** (as in yes)* **j** (as in Jack)* **zh** (as in beige)*
ñ	closest English sound – **gn** (as in lasagna)
rr	closest English sound – similar to a longer trilled Scottish **r**

*ll and **y** are pronounced slightly differently in different countries.

For many years, **ch** was considered a letter of the Spanish alphabet. Recently authorities have decided it is no longer to be considered a letter. **Ch** is pronounced similarly in Spanish and English (enchilada, mucho, much).

⑤ VOWEL LINKING

This part of pronunciation keeps you from sounding like a gringo!

When two vowel sounds follow each other in two separate words, link them!
If you do it correctly, it will almost sound like you are pronouncing one word:

¿Cómo se escribe? ⟶ ¿Cómosescribe?

El niño es mi amigo. ⟶ Elniñwesmiamigo.

Get into the habit of linking your vowels and listening for it when Spanish-speakers link vowels, and you will be one step closer to sounding like a native!

Spanish may be sneaky in other areas, but luckily the pronunciation is straightforward. By applying the five concepts in this guide, you will speak fluently and with a good accent!

SPANISH SPELLING

Spanish is pronounced how it is spelled, with few exceptions.

Watch out for:

b and v

In Spanish, **b** and **v** are usually pronounced the same. The sound is halfway between our **b** and **v** sound in English. This can make it tricky to know which words are spelled with **b** and which with **v**. Words below marked * contain this sound. After **m** or **n**, **b** is pronounced exactly like English **b**. Words marked with ** below contain the sound **b**.

vaca* - cow
Bacardi* - brand of rum
abuelo* - grandfather
vuelo* - flight
abril* - April
avión* - airplane
también** - also
en Brasil** – in Brazil

h

In Spanish, **h** is always silent. You need to remember which words are spelled with **h**.

hola - hello
ola - wave
hijo - son
ojo - eye
alcohol - alcohol
hoja - leaf, sheet
haces - you do/make
aces - aces (as in cards)
Hugo
uva - grape

y and ll

These letters can make the same sound, which makes it tricky to know how some words are spelled. You need to remember which are spelled with **y** and which are spelled with **ll**.

yo - I
calle - street
Yolanda
Guillermo
ayer - yesterday
allá - over there

s, z, and c

In Latin American Spanish, **c** (before i and e), **s** and **z** are all pronounced **ss**. In Spain and a few other parts of the world, **s** is pronounced **ss**, but **z** and **c** are pronounced **th**. When hearing Latin American Spanish, you may not know how the following words and others are spelled just from hearing them. You need to remember which are spelled with **s**, **z**, and **c**.

cien - one hundred
sien - temple of the head
hacia - towards
Asia - Asia
casa – house
caza - hunt
Gonzales
González

WRITTEN ACCENT MARKS

Accent marks are part of Spanish spelling, and help identify which syllable is stressed.

Words ending in a vowel, n, or s:

In speech, the next-to-the-last syllable is usually stressed:

casa – house
amigo – friend
eres – you are
tienen – they have, y'all have

Words ending in other consonants (not n or s):

In speech, the last syllable is usually stressed:

doctor – doctor
papel – paper
tener – to have
dormir – to sleep

These words (and some others) take a written accent when used as question words:

Qué
Quién(es)
Cómo
Cuándo
Dónde
Cuánto/a(s)
Cuál(es)
Por qué

Exceptions to the above are indicated with a written accent mark.

lápiz – pencil
mamá – Mom
dirección – address
fútbol – soccer
inglés – English
teléfono – telephone
electrónico – electronic
Bárbara

PUNCTUATION – ¿ and ¡

Spanish and English punctuation are similar, except as follows:

Spanish uses **¿** at the beginning of a question, in addition to **?** at the end: **¿Cómo te llamas?** – What's your name?
Spanish uses **¡** at the beginning of an exclamation, in addition to **!** at the end. **¡Muy interesante!** – Very interesting!

TABLE OF CONTENTS
A SNEAK PEEK INTO YOUR SPANISH BOOK!

Sección 1 – pages 1-10

Focus on FUNCTIONS	Focus on GRAMMAR	Focus on VOCABULARY
• Introduce yourself • Ask others questions • Use numbers 0-20 • Talk about jobs and hobbies • Greet others	• Basic question forms • Singular forms of ***ser*** (to be), ***tener*** (to have), ***llamarse*** (to call oneself), ***gustarle*** (to like; literally, to be pleasing to) • Singular forms of pronouns: possessive - ***mi(s), tu(s)***... reflexive - ***me llamo, te llamas***, indirect - ***me gusta..., te gusta...***	• Numbers 0-20 • Jobs • Hobbies

Sección 2 – pages 11-16

Focus on FUNCTIONS	Focus on GRAMMAR	Focus on VOCABULARY
• Exchange phone numbers • Exchange addresses • Spell words out loud, using the Spanish alphabet • Count to 100 • Use numbers	• Review of question forms introduced in Sección 1 • ***¿Cuál es...?*** to ask for contact information • Third person singular form of ***ser*** (to be) - ***es***, to give contact information: ***Mi número de teléfono es 555-1111. Mi dirección de e-mail es....***	• Numbers 21-100 • The Spanish alphabet • Vocabulary for e-mail and web addresses

Sección 3 – pages 17-28

Focus on FUNCTIONS	Focus on GRAMMAR	Focus on VOCABULARY
• Talk about others • Ask questions about others • Address someone formally • Describe friends, family and coworkers • Read about others	• Review of first and second person forms ***(yo, tú)*** seen in Sección 1 and 2 • Introduction of third person singular ***(él/ella/usted)*** forms • Third person singular question forms • ***¿Quién es...?*** to identify a person.	• Family • People at the office • Adjectives for describing people

Sección 4 – pages 29-36

Focus on FUNCTIONS	Focus on GRAMMAR	Focus on VOCABULARY
• Identify and speak about food • Express likes and dislikes • Order food • Go shopping; interact with store employees • Buy things	• Singular form of ***me gusta...*** (I like...; ...is pleasing to me), plural form ***me gustan...*** (I like...; ... are pleasing to me) • ***Me gusta(n) mucho, No me gusta(n) para nada***, etc. for varying degrees of likes and dislikes • ***¿Cuánto cuesta...?*** to ask for price. • Review of definite articles ***(el, la, los, las)***	• Food • Restaurants • Shopping

Sección 5 – pages 37-44

Focus on FUNCTIONS	Focus on GRAMMAR	Focus on VOCABULARY
• Describe the house and office • Locate objects and places • Check in at a hotel • Identify places around town • Ask for and give directions	• ***Hay/No hay*** - There is/There are • Prepositions of place - ***encima de, en frente de, al lado de....*** • Contraction of prepositions and definite articles – ***de + el = del....*** • ***¿Dónde está...?*** to ask for location. • Indefinite articles ***un, una, no article***	• Rooms of the house • Objects in an office or room • Prepositions of place • Hotel vocabulary

Sección 6 – pages 45-54

Focus on FUNCTIONS	Focus on GRAMMAR	Focus on VOCABULARY
• Introduce yourself at length and ask others questions • Keep initial conversations going • Make "small talk" • Speak about yourself and various areas of your life • Write about yourself at length	• Review of basic introductory statements (**first person**): ***Me llamo..., Soy de...*** etc. • Review of basic introductory questions (**second person**): ***¿Cómo te llamas? ..., ¿De dónde eres?...*** etc. • Review of basic **third-person** statements and questions: ***Se llama...., ¿De dónde es...?...*** etc.	• Review and expansion of vocabulary used to speak about name, origin, job, hobbies, free time, other • Filler words; words for "small talk"

Sección 7 – pages 55-64

Focus on FUNCTIONS	Focus on GRAMMAR	Focus on VOCABULARY
• Speak about groups (plural forms) • Address groups of people • Ask questions about groups • Give details of groups in your life, such as friends and family • Read about others' friends and families	• **First person singular** forms – ***nosotros/nosotras*** • **Second person plural** forms – ***ustedes*** • **Third person plural** forms – ***ellos/ellas***	• Review and expansion of vocabulary used to speak about name, origin, job, hobbies, and free time, • Vocabulary for describing family • Plural verb forms

Sección 8 – pages 65-78

Focus on FUNCTIONS	Focus on GRAMMAR	Focus on VOCABULARY
• Identify and speak about common objects • Identify and speak about places around town • Talk about going places (**ir**) • Ask for and give directions • Speak about permanent characteristics (***ser***), and locations and feelings (***estar***)	• The verb ***ir*** - to go • The verbs ***ser*** vs. ***estar*** • ***¿Dónde queda…?, ¿Dónde está?*** to ask for location • ***¿Cómo es…?*** to describe inherent characteristics, ***¿Cómo está?*** to describe feelings and current states	• Everyday objects • Places around town • Adjectives for describing people • Adjectives for describing feelings

Sección 9 – pages 79-84

Focus on FUNCTIONS	Focus on GRAMMAR	Focus on VOCABULARY
• Tell and ask for the time • Identify and speak about days, months, and seasons • Ask about the weather • Describe weather conditions • Speak about holidays and special occasions	• ***¿Qué hora es?, Es la…, Son las…*** to ask for and tell time • ***¿Qué tiempo hace?, Hace…, Está…, Es…, Hay*** to ask about and describe weather.	• Time-related vocabulary • Days of the week • Months of the year • The four seasons • Weather expressions • Holidays and special occasions

Bonus Sections – Extra Goodies for Learning Spanish!

Sección 1

¡HABLA DE TI!

SPEAK ABOUT YOURSELF!

Talk about yourself and ask questions

Fast Functions – By the end of this section, I will be able to:

INTRODUCE MYSELF TO OTHERS • ASK OTHERS QUESTIONS ABOUT THEMSELVES • COUNT FROM 0-20 AND USE NUMBERS • TALK ABOUT JOBS AND HOBBIES • GREET OTHERS

1. Read how Felipe talks about himself.

Me llamo Felipe.*
Soy de México.
Soy ingeniero.
En mi tiempo libre,
me gusta jugar golf.**

2. Make similar sentences about yourself. Repeat until you know them by heart.

¡PRACTICA!

1. **INTRODUCE YOURSELF** TO SOMEONE EN ESPAÑOL.

2. **INTRODUCE YOURSELF** TO LOTS OF PEOPLE! IF YOU ARE NOT IN A GROUP, DO THIS NEXT TIME YOU ARE WITH A LOT OF SPANISH-SPEAKERS.

SPANISH CAN BE SNEAKY!

* **(Yo) me llamo Felipe - My name is Felipe.**
Literally - (I) call myself Felipe.

In Spanish the subject pronoun (in this case, **yo** - I) is usually not expressed. Here, **me** (pronounced **meh**) is a reflexive pronoun (myself).

** **Me gusta jugar golf - I like playing golf.**
Literally - Playing golf pleases me.
Here, **me** (also pronounced **meh**) is an indirect object pronoun.

Don't worry about understanding pronouns for now – just practice the sentences!

NÚMEROS 0-10

1. Match the numerals and the words below.
2. Check your answers on page 96 or 104.
3. Say números 0-10 en español.
4. Now backwards! Say números 10-0.

8 OCHO SIETE

5 3

UNO

SEIS 1 2 NUEVE

DOS

10

TRES 7 CINCO 0

4 DIEZ

6 CERO

CUATRO 9

¡PRACTICA!

1. **SAY** 0 - 10 AGAIN, EN ESPAÑOL.
2. **SAY** THEM BACKWARDS.
3. **SAY** THE ODD NUMBERS.
4. **SAY** THE EVEN NUMBERS.
5. **SAY** A TELEPHONE NUMBER.
6. **SAY** A STREET NUMBER.
7. **SAY** A BAR CODE OR OTHER SERIES OF NUMBERS.
8. **SAY** ANY NUMBERS YOU SEE (ON THE CLOCK, IN YOUR NOTEBOOK, ETC.)

SPANISH CAN BE SNEAKY!

*0 is spelled **cero** and pronounced **ssero** in Latin America, and **thero** (with a "hard **th**" as in "think") in Spain.

The sound **z** as in **zipper** or **daze** does not exist en español.

VOCABULARIO

TRABAJOS – JOBS

1. Match a word with its translation.

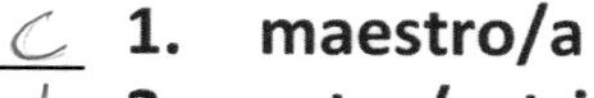

c	1. maestro/a	a. manager
d	2. actor/actriz	b. salesperson
a	3. gerente	c. teacher
j	4. hombre/mujer de negocios	d. actor/actress
q	5. supervisor(a)	e. consultant
k	6. empresario/a	f. nurse
s	7. abogado/a	g. professional athlete
e	8. consultor(a)	h. student
g	9. atleta profesional	i. doctor
i	10. doctor(a), médico	j. businessman/woman
l	11. empleado/a	k. entrepreneur
m	12. ingeniero/a	l. employee
f	13. enfermero/a	m. engineer
n	14. secretario/a	n. secretary
b	15. vendedor(a)	o. singer
h	16. estudiante	p. model
r	17. científico/a	q. supervisor
o	18. cantante	r. scientist
t	19. artista	s. lawyer
p	20. modelo	t. artist

2. Check your answers here:

c d a j q k s e g i l m f n b h r o t p

QUIZ AND BE QUIZZED! – Quiz a speaking partner on the vocabulary above, and have them quiz you!

¿Cómo se dice "gerente" en inglés?
¿Cómo se dice "doctor" en español?

"Manager."
"Doctor, doctora."

GRASPING GRAMMAR

* You can usually make a profession feminine by having it end in **-a**:
doctor, doctora ingeniero, ingeniera
Some exceptions are jobs ending in -**ista** and -**ente**, which are the same for both genders: **artista, pianista, gerente, asistente**

LET'S REVIEW!

1. Fill in the blanks with information about yourself. Tell someone about you.

Me llamo Mary**.**
Soy de virginia**.**
Soy estudiante**.**
En mi tiempo libre, me gusta dormir**.**

GRASPING GRAMMAR

PREGUNTAS - QUESTIONS

1. Match the questions and answers.

¿Cómo te llamas?	**Soy de Panamá.**
¿De dónde eres?	**Soy abogada.**
¿Qué haces en tu tiempo libre?	**Me llamo Susana.**
¿En qué trabajas?*	**En mi tiempo libre, me gusta jugar tenis.**

2. Check your answers by reading the conversation below. Memorize the lines.

¿Cómo te llamas?
¿De dónde eres?
¿En qué trabajas?
¿Qué haces en tu tiempo libre?

Me llamo Susana.
Soy de Panamá.
Soy abogada.
En mi tiempo libre, me gusta jugar tenis.

¡PRACTICA!

1. **GET TO KNOW SOMEONE!** ASK AND ANSWER QUESTIONS.

2. **PARTY TIME!** STAND UP, MINGLE, AND TALK ABOUT YOURSELF WITH OTHERS. IF YOU ARE NOT IN A GROUP, DO THIS NEXT TIME YOU ARE WITH A GROUP OF SPANISH-SPEAKERS.

SPANISH CAN BE SNEAKY!

* **trabajas** (verb) - you work
trabajo (verb) - I work
trabajo (noun) - job, profession

VOCABULARIO

1. Match a word with a picture. Check your answers on page 96.

TIEMPO LIBRE – FREE TIME

QUIZ AND BE QUIZZED!

¿Cómo se dice "dormir" en inglés?
¿Cómo se dice **"to play golf"** en español?

"To sleep."
"Jugar golf."

¡PRACTICA!

1. **STATE YOUR PREFERENCE!** Make statements about what you like and don't like.

Me gusta jugar fútbol.
No me gusta ver televisión.

LET'S REVIEW!

1. Ask and answer questions about yourself. Speak with a lot of people!

¿Cómo te llamas?
¿De dónde eres?
¿En qué trabajas?
¿Qué haces en tu tiempo libre?

Me llamo ______________.
Soy de ______________.
Soy ______________.
Me gusta ______________.

¡PRACTICA!

¡SOY FAMOSO!

1. **BE FAMOUS** for a day! Choose a well-known or fictional character.
2. **MAKE NOTES** about your character. Write down bullet points for now, and speak in full sentences later.
3. **INTRODUCE YOURSELF** as that character. Tell someone all about you!

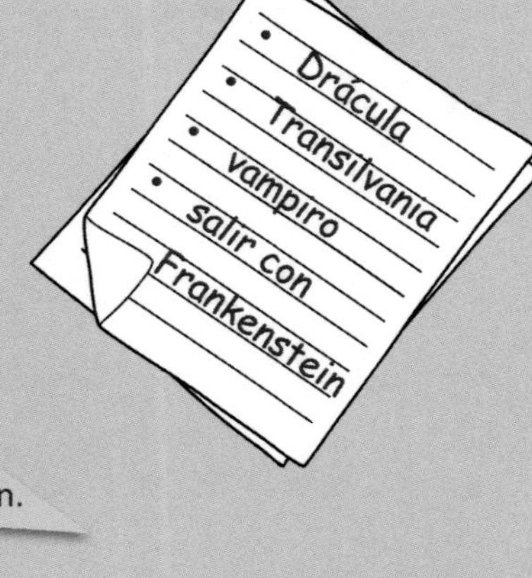

Hola, ¿cómo te llamas?
¿De dónde eres?
¿En qué trabajas?
¿Qué haces en tu tiempo libre?

Me llamo Drácula.
Soy de Transilvania.
Soy vampiro.
En mi tiempo libre,
me gusta salir con Frankenstein.

Hola, ¿cómo te llamas?
¿De dónde eres?
¿En qué trabajas?
¿Qué haces en tu tiempo libre?

Me llamo Madonna.
Soy de Michigan.
Soy cantante.
En mi tiempo libre, me gusta hacer ejercicio.

SALUDOS – GREETINGS

1. Read the following conversations.

Hola, ¿Cómo estás?*
Bien, gracias.

Buenos días.
Buenos días.
¿Cómo está?*
Bien, gracias.

Hola, me llamo Carlos.
Mucho gusto.**
Igualmente.

¡Adiós!
¡Hasta luego!

Buenas noches.
Buenas noches.

¡PRACTICA!

1. **MATCH A GREETING** WITH A RESPONSE. CHECK YOUR ANSWERS ON PAGE 96.

1. ¡Adiós!
2. Buenas noches.
3. Me llamo Manuel.
4. ¿Cómo estás?
5. ¡Hola!

a. Encantada. Me llamo María.
b. ¡Hasta luego!
c. ¿Qué tal?
d. Buenas noches.
e. No muy bien.

2. **PRACTICE THE CONVERSATIONS**. IMAGINE YOU ARE IN DIFFERENT SITUATIONS.

SPANISH CAN BE SNEAKY!

* **¿Cómo estás?** – singular informal
¿Cómo está? – singular formal

** **Mucho gusto** literally means **Much pleasure**.
Placer literally means **Pleasure.**
Encantado (if you are male) and **Encantada** (if you are female) literally mean **Enchanted.**

All three are used interchangeably to mean **Nice to meet you.**

NÚMEROS 11-20

1. Say números 0-10 en español, without looking at the book.
2. Match numerals 11-20 with the words below.
3. Check your answers on page 96 or 104.
4. Practice saying 11-20, en español.

20 DIECINUEVE* DIECISEIS* 13
ONCE 16
11
18 DOCE DIECIOCHO* 12 DIECISIETE*
QUINCE
TRECE 19 DIEZ 10
CATORCE 14 VEINTE
15 17

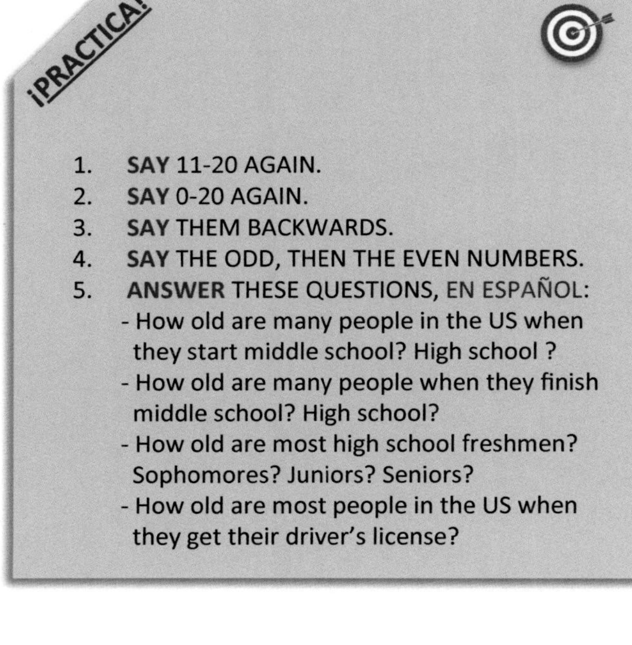

1. **SAY** 11-20 AGAIN.
2. **SAY** 0-20 AGAIN.
3. **SAY** THEM BACKWARDS.
4. **SAY** THE ODD, THEN THE EVEN NUMBERS.
5. **ANSWER** THESE QUESTIONS, EN ESPAÑOL:
   - How old are many people in the US when they start middle school? High school ?
   - How old are many people when they finish middle school? High school?
   - How old are most high school freshmen? Sophomores? Juniors? Seniors?
   - How old are most people in the US when they get their driver's license?

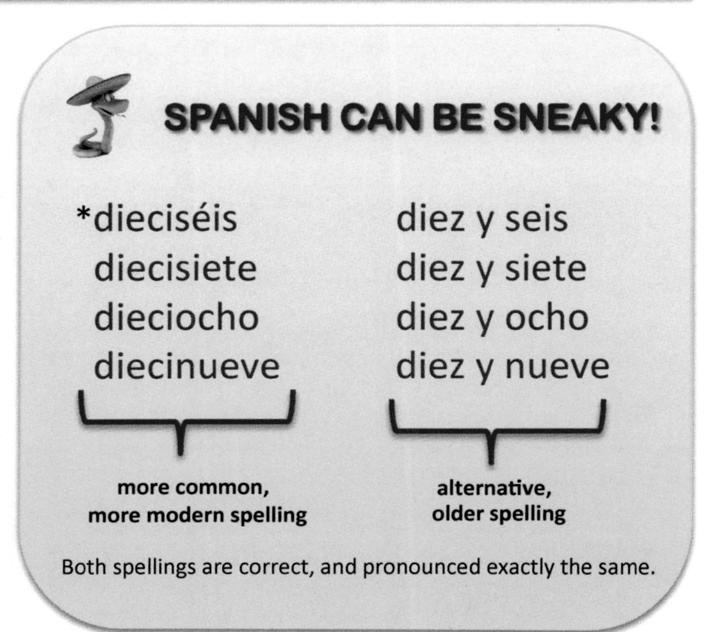

SPANISH CAN BE SNEAKY!

*dieciséis	diez y seis
diecisiete	diez y siete
dieciocho	diez y ocho
diecinueve	diez y nueve
more common, more modern spelling	**alternative, older spelling**

Both spellings are correct, and pronounced exactly the same.

¡NUEVOS AMIGOS!

1. Read the conversation below.

Mike	Deborah
Hola, ¿qué tal?	Hola.
¿Cómo te llamas?	Me llamo Deborah.
Muy bonito nombre. Me llamo Mike. ¿De dónde eres, Deborah?	Soy de Houston. ¿Y tú?
Soy de San Antonio. ¿En qué trabajas?	Soy abogada.
Interesante. Soy asistente legal.	¡Interesante!
¿Qué haces en tu tiempo libre?	Me gusta ir al cine y leer.
¿Te gusta el cine? Bien. ¿Vamos al cine mañana?	¿Mañana? Okay....
¿Cuál es tu número de teléfono?	Es 555-349-7543.
Bien. Hasta mañana, Deborah....	Adiós, Mike.

2. Fill in the chart with information from the conversation. Check your answers on p 96.

	Mike	Deborah
Origen		
Trabajo		
Tiempo Libre		

3. Imagine you are speaking with someone you just met in a social situation. With a speaking partner, practice similar conversations.

I CAN DO IT IN SPANISH!

CHECK YOUR PROGRESS!

After Sección 1, I can:

- ☐ **Introduce myself to others in Spanish**
- ☐ **Ask others questions about themselves in Spanish**
- ☐ **Count from 0-20 and use numbers in Spanish**
- ☐ **Talk about jobs and hobbies in Spanish**
- ☐ **Greet others appropriately in Spanish**

¡MUY BIEN!

Sección 2

INFORMACIÓN

INFORMATION

Exchange important information

Fast Functions — By the end of this section, I will be able to:

EXCHANGE PHONE NUMBERS • EXCHANGE EMAIL AND MAILING ADDRESSES • SPELL IN SPANISH • COUNT TO 100 • USE NUMBERS 0-100

EL ALFABETO

1. Say the alphabet en español. The pronunciation guide on page 96 will help you.
2. Look at the chart. Fill in the missing letters. Check your answers on the next page.

A	B	C	Ch*	D	E	F	G	__	I	__	__	L	Ll	M
								ah-che		hoh-tah	kah			
N	**Ñ**	**O**	**P**	**__**	**R**	**Rr**	**S**	**T**	**U**	**V**	**__**	**__**	**Y****	**__**
				ku							doble-u	eh-kis		sseh-tah

SPANISH CAN BE SNEAKY!

* For many years, **Ch** was considered a letter of the Spanish alphabet. Recently Spanish-language authorities have decided it will no longer be considered a letter. It is included here because many Spanish-speakers still use it when spelling.

** **Y** can be called **ye** (pronounced **yeh**), or **i griega**, which literally means **Greek i.**

1. Say the alphabet again, en español.

A	B	C	Ch	D	E	F	G	H	I	J	K	L	Ll	M
N	Ñ	O	P	Q	R	Rr	S	T	U	V	W	X	Y	Z

- Draw a circle around letters not in the English alphabet.
- Draw a square around letters with this pronunciation pattern: **e___e.**
- Draw a triangle around letters whose names are harder to remember. Write out how you would pronounce them.
- What is the most common ***sound*** in the Spanish alphabet?

Check your answers on p 96.

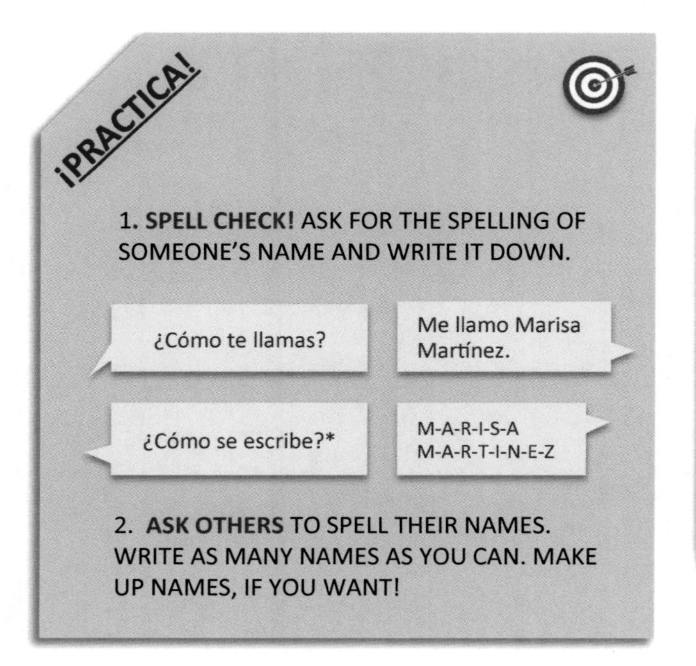

¡PRACTICA!
1. SPELL CHECK! ASK FOR THE SPELLING OF SOMEONE'S NAME AND WRITE IT DOWN.
¿Cómo te llamas?
Me llamo Marisa Martínez.
¿Cómo se escribe?*
M-A-R-I-S-A
M-A-R-T-I-N-E-Z
2. ASK OTHERS TO SPELL THEIR NAMES. WRITE AS MANY NAMES AS YOU CAN. MAKE UP NAMES, IF YOU WANT!

SPANISH CAN BE SNEAKY!

* **¿Cómo se escribe?** is written like this. However, the sounds formed by **e** and **e** (**eh** and **eh**) link together:

¿Cómo se escribe?

The result is an utterance that sounds like **"¿Cómosescribe?"**

This is called "vowel linking" and it is how native speakers pronounce multiple words with vowels in between.

NÚMEROS 20-100

1. Match the numerals and the words below.
2. What are the last two letters of most of these numbers? Which are the exception? Check your answers on page 96 or 104.
3. Say números 10-100 en español, by the tens: 10, 20, 30, 40, 50, 60, 70, 80, 90, 100.

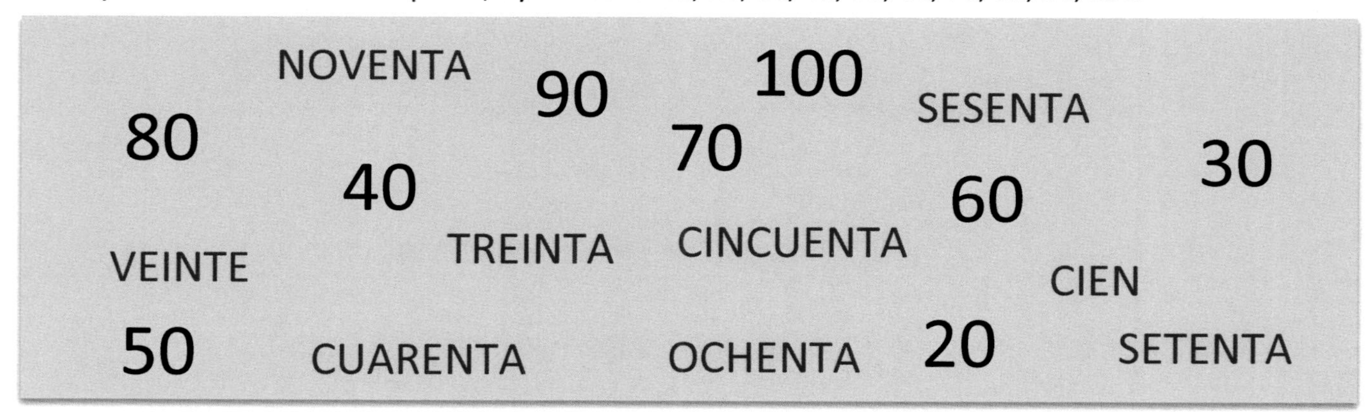

NÚMEROS 21-99

4. Say these numbers:

21 - veintiuno
25 - veinticinco
29 - veintinueve

Notice the sound **ti** (like English **tee**) in the middle.

38 - treinta **y** ocho
42 - cuarenta **y** dos
99 - noventa **y** nueve

Notice the sound **tay** (like English **tie**) in the middle

5. Match the numerals and the words. Check your answers on page 96 or 104.

23 CINCUENTA Y OCHO NOVENTA Y SEIS 85
32
49 SETENTA Y UNO
58 61 71
VEINTITRÉS TREINTA Y DOS OCHENTA Y CINCO
SESENTA Y UNO CUARENTA Y NUEVE 96

¡PRACTICA!

1. **COUNT ON IT!** COUNT FROM 0-100, FROM MEMORY OR LOOKING AT PAGE 104.
2. NOW BACKWARDS.
3. JUST ODDS. THEN EVENS.
4. SAY ALL THE NUMBERS YOU SEE AROUND YOU (PAGE NUMBERS, THE CLOCK, SERIAL NUMBERS, ETC).

VOCABULARIO

1. Say these symbols and words, en español.

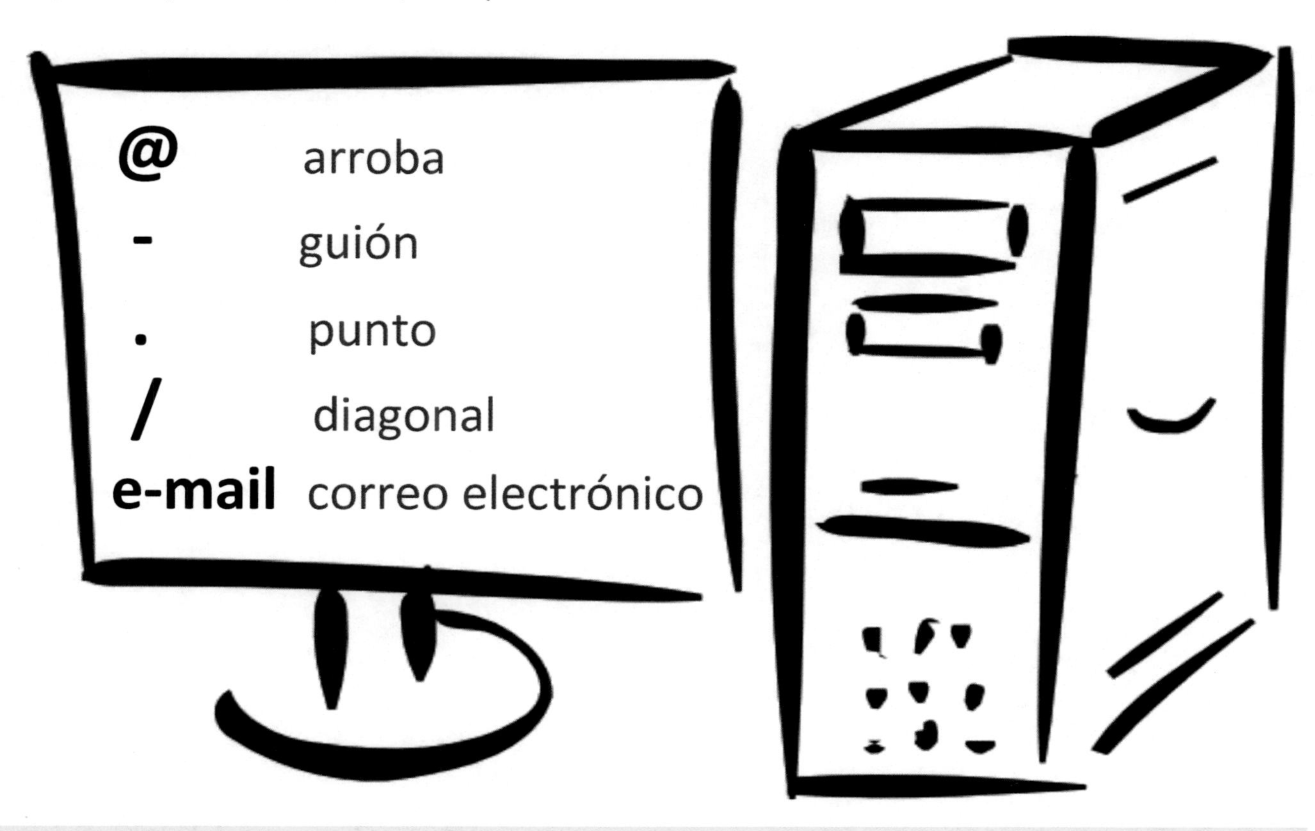

2. Fill in the blanks.

¿Cuál es tu ________ de teléfono?
¿_____ __ tu dirección de oficina?
¿_____ __ __ _________ de e-mail?
¿_____ __ __ página de Internet?

Es 555-832-8689.
___ 5156 Main Street.
___ juan@functionallyfluent.com.
___ www.functionallyfluent.com.

Check your answers on p 96.

¡PRACTICA!

1. CONNECT! EXCHANGE CONTACT DETAILS WITH OTHERS. PRACTICE THE CONVERSATIONS ABOVE.
2. GET DETAILS FROM DIFFERENT PEOPLE. FILL IN THE FOLLOWING FORM FOR AS MANY PEOPLE AS POSSIBLE.

	NOMBRE	NÚMERO DE TELÉFONO	DIRECCIÓN DE OFICINA/CASA	DIRECCIÓN DE E-MAIL
1.	Mario Escada	555-123-7654	123 Elm Terrace	mario@sbc.net
2.				
3.				
4.				

LET'S REVIEW!

You've learned a lot so far!

By now, you can say quite a bit about yourself, and exchange a wealth of information with someone!

1. **PRACTICE** THE CONVERSATION:

¿Cómo te llamas?
¿De dónde eres?
¿En qué trabajas?
¿Qué haces en tu tiempo libre?
¿Cuál es tu número de teléfono?
¿Cuál es tu dirección de casa?
¿Cuál es tu dirección de oficina?
¿Cuál es tu dirección de e-mail?

Me llamo ______________.
Soy de ______________.
Soy ______________.
Me gusta ______________.
Mi número de teléfono es _____.
Mi dirección de casa es _______.
Mi dirección de oficina es ______.
Mi dirección de e-mail es ______.

2. **FILL IN THE GRIDS.** INCLUDE INFORMATION ABOUT AS MANY PEOPLE AS POSSIBLE.

	NOMBRE	ORIGEN	TRABAJO	ACTIVIDAD DE TIEMPO LIBRE	NÚMERO DE TELEFONO	DIRECCIÓN DE OFICINA/CASA	DIRECCIÓN DE E-MAIL
1.	*Mario*	*México*	*gerente*	*jugar fútbol*	555-123-7654	123 Elm St.	mario@sbc.net
2.							
3.							
4.							
5.							
6.							
7.							
8.							
9.							
10.							

I CAN DO IT IN SPANISH!

CHECK YOUR PROGRESS!

After Sección 2, I can:

- ☐ **Exchange phone numbers**
- ☐ **Exchange addresses**
- ☐ **Spell words out loud, using the Spanish alphabet**
- ☐ **Count to 100 in Spanish**
- ☐ **Use numbers in Spanish**

¡MUY BIEN!

Sección 3

PERSONAS

PEOPLE

Talk about others

Fast Functions — By the end of this section, I will be able to:

TALK ABOUT THE PEOPLE IN MY LIFE • ASK QUESTIONS ABOUT OTHERS • ADDRESS SOMEONE FORMALLY • DESCRIBE FRIENDS, FAMILY, AND COWORKERS • READ ABOUT OTHERS

1. Read this conversation. Notice the speakers are not asking and answering questions about themselves or each other. They are talking about a third person.

2. Practice asking and answering questions about Raquel. Repeat the lines over and over until you know them by heart.

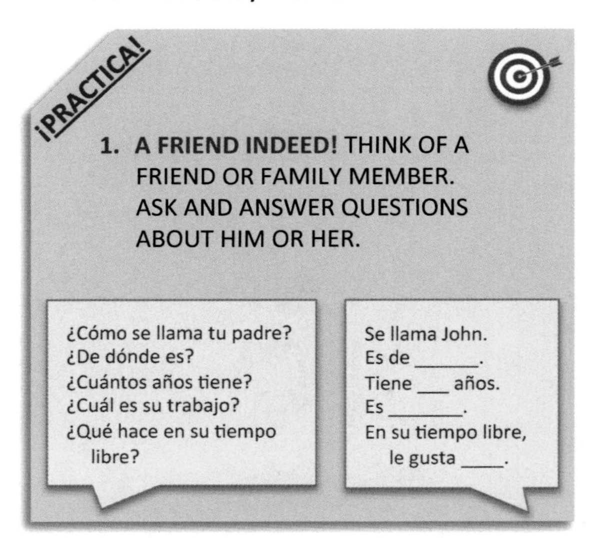

¡PRACTICA!
1. A FRIEND INDEED! THINK OF A FRIEND OR FAMILY MEMBER. ASK AND ANSWER QUESTIONS ABOUT HIM OR HER.
¿Cómo se llama tu padre?
¿De dónde es?
¿Cuántos años tiene?
¿Cuál es su trabajo?
¿Qué hace en su tiempo libre?
Se llama Raquel.
Es de México.
Es asistente legal.
Se llama John.
Es de ______.
Tiene ___ años.
Es _______.
En su tiempo libre, le gusta ____.

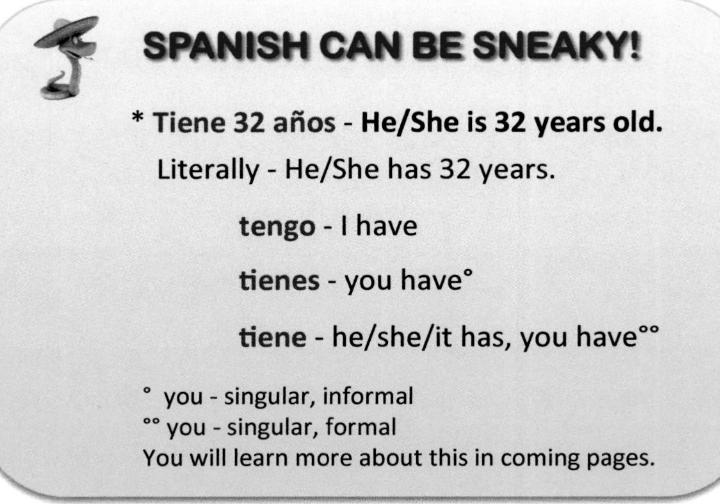

SPANISH CAN BE SNEAKY!
* Tiene 32 años - He/She is 32 years old.
Literally - He/She has 32 years.
tengo - I have
tienes - you have°
tiene - he/she/it has, you have°°
° you - singular, informal
°° you - singular, formal
You will learn more about this in coming pages.

LET'S REVIEW!

You've learned a lot of forms so far!

You have learned these singular forms, mainly in Sección 1:

me llamo
soy
tengo
me gusta
mi

FIRST PERSON
(TALKING ABOUT MYSELF)
YO – I

te llamas
eres
tienes
te gusta
tu

SECOND PERSON
(TALKING ABOUT YOU, ON INFORMAL TERMS)
TÚ – YOU

In this section, you have learned:

THIRD PERSON
(TALKING ABOUT ANOTHER PERSON)
ÉL/ELLA – HE/SHE

se llama
es
tiene
le gusta
su

VOCABULARIO

FAMILIA – FAMILY

1. Look at the people and their relationship to Carla. Say the words.

2. Look at the people and Carla's relationship to them. Say the words.

3. Look at the people and their relationship to each other. Say the words.

4. Read and say these words.

tío - uncle

sobrino - nephew

novio - boyfriend

primo - cousin

5. Using your memory and intuition, fill in this chart. Check your answers on p 96.

padre	father		mother
	brother	**hermana**	sister
hijo			daughter
abuelo		**abuela**	grandmother
	uncle	**tía**	
sobrino	nephew		niece
nieto		**nieta**	granddaughter
	husband	**esposa**	
novio			girlfriend
primo	cousin	**prima**	cousin

COLEGAS – COLLEAGUES

Ready for more? Work is a great place to practice your Spanish!

1. Say these words.

jefe*
colega, compañero/a de trabajo***
cliente
invitado/a
colaborador(a)
asociado/a
asistente
trabajador(a)
socio/a
empleado/a

2. Guess what these words might mean in English. Write down your ideas on the index card.
3. Check your answers on page 97.

QUIZ AND BE QUIZZED!

¿Cómo se dice "madre" en inglés?
¿Cómo se dice **"uncle"** en español?
¿Cómo se dice **"girlfriend"** en español?
¿Cómo se dice "jefe" en inglés?
¿Cómo se dice **"coworker"** en español?

"Mother."
"Tío."
"Novia."
"Boss."
"Colega, compañero/a de trabajo."

SPANISH CAN BE SNEAKY!

* **jefe or jefa** – female boss
** **colega** – same for masculine or feminine
*** **compañero/a de trabajo** – coworker
compañero/a de clase – classmate
compañero/a de casa – housemate, roommate
compañero/a – partner (mate)
socio/a – partner (business partner, partner in a firm)

¡PRACTICA!

PERSONAS IMPORTANTES

1. **WRITE DOWN** THE NAMES OF THREE OR FOUR PEOPLE IN YOUR LIFE.
2. ASK AND ANSWER QUESTIONS.

¿Quién es Anthony?
¿Quién es Carrie?
¿Quién es Alberto?
¿Quién es...?

Es mi padre.
Es mi cliente.
Es mi jefe.
Es mi....

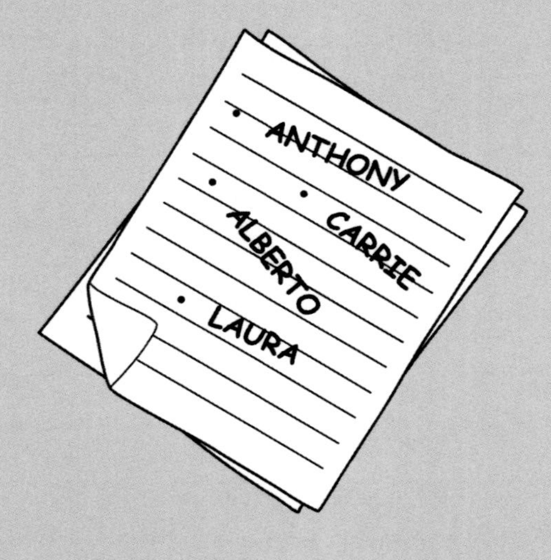

3. **WRITE DOWN** THREE OR FOUR PEOPLE IN YOUR LIFE, NOT BY NAME, BUT BY RELATIONSHIP TO YOU. ASK AND ANSWER QUESTIONS.

¿Cómo se llama tu esposo?
¿De dónde es?
¿Cuántos años tiene?
¿En qué trabaja?
¿Qué hace en su tiempo libre?

Se llama Mike.
Es de Nueva York.
Tiene 52 años.
Es gerente.
Le gusta correr en el parque.

¿Cómo se llama tu mamá?
¿De dónde es?
¿Cuántos años tiene?
¿En qué trabaja?
¿Qué hace en su tiempo libre?

Se llama Ada.
Es de Puerto Rico.
Tiene 63 años.
No trabaja. Es maestra retirada.
Le gusta leer.

¿Cómo se llama tu secretaria?
¿De dónde...?
¿Cuántos años ...?
¿En qué ...?
¿...?

Se llama .....
Es de ....
Tiene ....
....
....

THE USTED FORM – ADDRESSING SOMEONE FORMALLY

1. Read the conversation between Chuck and his future father-in-law. Chuck is not on a first-name basis with him yet, so he addresses him formally.

¿Cómo se llama?*
¿De dónde es?
¿En qué trabaja?
¿Qué hace en su tiempo libre?
Me llamo Luis Reyes.
Soy de Coahuila, México.
Soy abogado.
Me gusta salir con mis amigos.

GRASPING GRAMMAR

Do the words in bold look familiar? That's because they are the same as the third person (**él/ella** - he/she) forms you learned on pages 17 and 18! However, notice Chuck is not talking about a third person. He is asking Mr. Reyes about Mr. Reyes. He is addressing a second person.

To address someone formally, we use a special kind of second person form, **usted**. Though it is used to address a second person, the **usted** form looks just like the third person forms we learned in the previous chapter.

¡PRACTICA!

1. **BACK TO YOU!** THINK OF SOMEONE YOU ARE ON FORMAL OR UNFAMILIAR TERMS WITH – A NEW BOSS, A FUTURE IN-LAW, A NEW PROFESSOR, OR ANY ADULT STRANGER.
2. **PRACTICE CONVERSATIONS** LIKE THE ONE ABOVE. YOU ARE YOURSELF. YOUR SPEAKING PARTNER IS THE PERSON YOU ARE ADDRESSING FORMALLY.

¿Cómo se llama (usted)? ¿De dónde es? ¿... trabaja? ...	Me llamo Maggie Jones. Soy de ..... Soy profesora de.... ...

SPANISH CAN BE SNEAKY!

* How do we know whether **¿Cómo se llama?** means **What's your name?** or **What's his/her name?**

Good question! Even native speakers are subject to this confusion. You simply figure it out from context. If context isn't enough, you can clarify by adding the subject pronoun (**él**, **ella**, or **usted**):

¿Cómo se llama **ella**?
What's her name?/What does she call herself?

¿Cómo se llama **usted**?
What's your name?/What do you call yourself?

LET'S REVIEW!

Fill in the blanks with English words. The first has been done for you.

1. I use the first person singular form (**yo**) to talk about *myself*.
2. I use the ______ person singular informal form (**tú**) to ask about/talk to you, if we have an informal relationship, or if you are a child.
3. I use the ____ person singular form (**él** - masculine or **ella** - feminine) to talk about someone else.
4. I use the **usted** form to talk to ____, if I address you formally. The use is second person, but it looks just like the third person form.

Check your answers on page 97.

GRASPING GRAMMAR

Fill in the charts below with the correct forms of the verbs you know so far.

VERBOS

	SER (to be)	HACER (to do/make)	TENER (to have)	LLAMARSE (to call oneself)
yo (I)		hago		
tú (you - informal)		haces	tienes	te llamas
él/ella/usted (he/she/you, formal)	es		tiene	

GUSTARLE (to like, to be pleasing to)
me gusta

PRONOMBRES

sujeto	reflexivo	indirecto	posesivo
yo		me	mi(s)
tú	te	te	
él/ella/usted	se		su(s)

Check you answers on p 97.

QUIZ AND BE QUIZZED!

¿Cómo se dice "I am"?
¿Cómo se dice "his name is"?
¿Cómo se dice "You have (singular formal)"?

"Soy...."
"Se llama...."
"Tiene...."

VOCABULARIO

1. Look at these people. Who is/was...?

bonito/a **inteligente**

latino/a

guapo/a

alto/a

interesante

americano/a

2. Match a word with its translation.

___	1.	**feo/a**	a.	cute, pretty
___	2.	**bonito/a**	b.	tall
___	3.	**alto/a**	c.	skinny
___	4.	**bajo/a**	d.	dark-haired
___	5.	**flaco/a**	e.	blond
___	6.	**gordo/a**	f.	generous
___	7.	**moreno/a**	g.	smart, intelligent
___	8.	**rubio/a** (México - **güero/a**)	h.	young
___	9.	**viejo/a**	i.	old
___	10.	**joven**	j.	fat
___	11.	**interesante**	k.	stupid
___	12.	**inteligente**	l.	interesting
___	13.	**estúpido/a**	m.	ugly
___	14.	**generoso/a**	n.	short

Check your answers here: m a b n c j d e i h l g k f

3. Guess what these words mean, then check with page 97.

hispano/a **afroamericano/a** **negro/a** **asiático/a** **norteamericano/a** **anglo**

4. Read these words and their translations.

trabajador(a) – hard-working **perezoso/a** – lazy **amable** – kind, nice **simpático/a** – friendly

QUIZ AND BE QUIZZED!

¿Cómo se dice "guapo" en inglés?
¿Cómo se dice "lazy" en español?

"Handsome."
"Perezoso, perezosa."

¡PRACTICA!

1. **DESCRIBE** YOURSELF AND OTHERS.

Soy alto y americano. Mi amigo Miguel es hispano. Es simpático y generoso. Mi padre es muy inteligente.....

DOS PERSONAS INTERESANTES

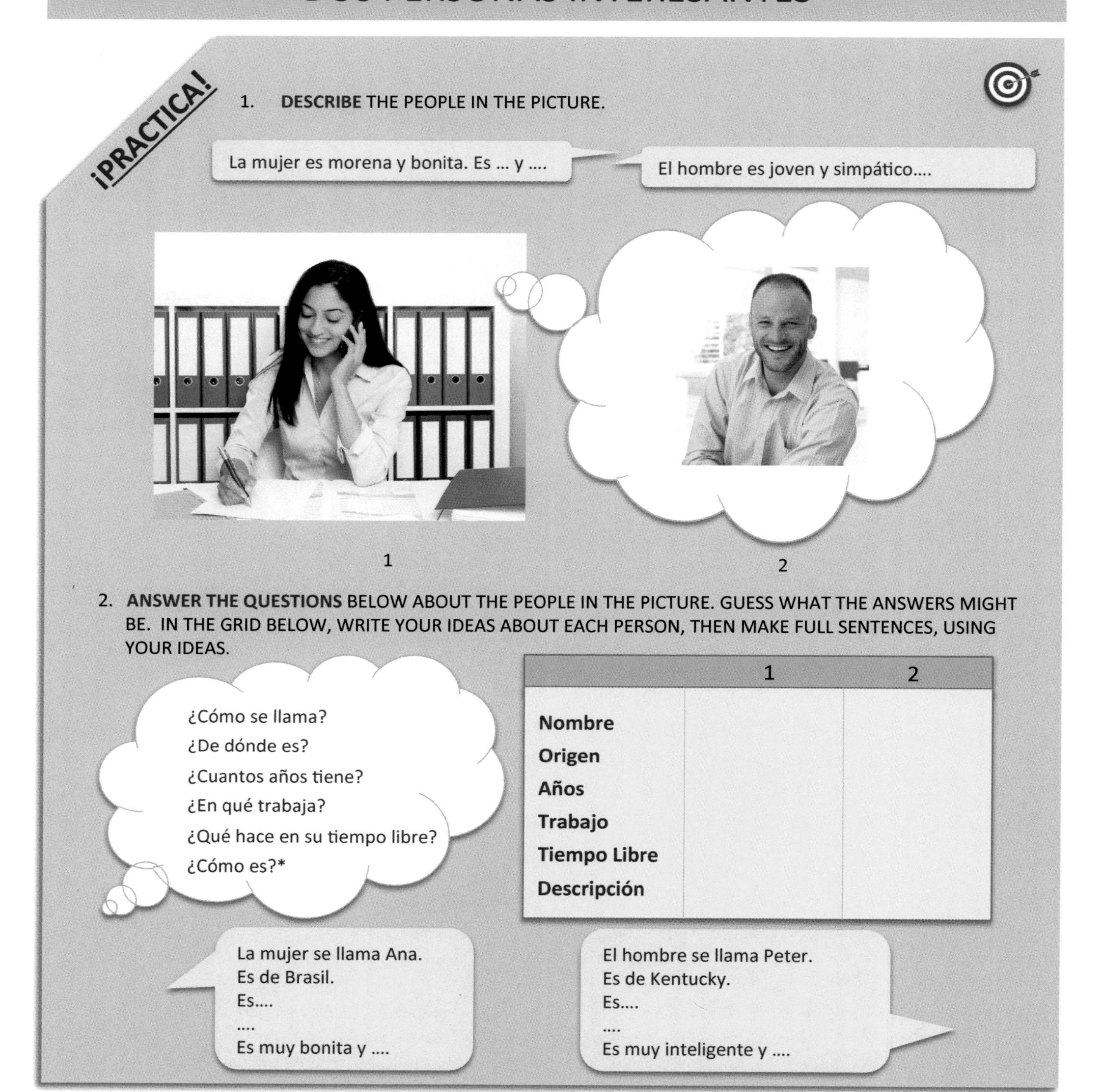

¡PRACTICA!

1. **DESCRIBE** THE PEOPLE IN THE PICTURE.

La mujer es morena y bonita. Es ... y ....

El hombre es joven y simpático....

1

2

2. **ANSWER THE QUESTIONS** BELOW ABOUT THE PEOPLE IN THE PICTURE. GUESS WHAT THE ANSWERS MIGHT BE. IN THE GRID BELOW, WRITE YOUR IDEAS ABOUT EACH PERSON, THEN MAKE FULL SENTENCES, USING YOUR IDEAS.

¿Cómo se llama?
¿De dónde es?
¿Cuantos años tiene?
¿En qué trabaja?
¿Qué hace en su tiempo libre?
¿Cómo es?*

	1	2
Nombre		
Origen		
Años		
Trabajo		
Tiempo Libre		
Descripción		

La mujer se llama Ana.
Es de Brasil.
Es....
....
Es muy bonita y ....

El hombre se llama Peter.
Es de Kentucky.
Es....
....
Es muy inteligente y ....

SPANISH CAN BE SNEAKY!

* ¿Cómo es? = **What is he/she like?** We use it to ask for a description. Don't confuse it with ¿Cómo está? = **How is he/she?** We use this to ask for someone's well-being or condition.

DOS PERSONAS INTERESANTES

1. The text below is about the people on page 25. Read it quickly and see if some of your guesses match the information in the text.

Mi asistente Sara es muy inteligente y trabajadora. Tiene cuarenta y dos años y es secretaria y recepcionista. Sara es de Austin pero vive en un apartamento pequeño en el centro de Houston. En su tiempo libre, le gusta ir de compras. A veces su esposo Andy va con ella, también. Andy tiene cuarenta y cuatro años. Es de Michigan, y es abogado. Es muy alto y simpático. En su tiempo libre, le gusta jugar golf con sus compañeros de trabajo.

2. Answer these questions. ¿Cierto o falso? (True or false?) Check your answers on p 97.

    1. Sara es de Houston.
    2. Sara está divorciada.
    3. Sara es el jefe de la compañía.
    4. Sara vive en una casa grande.
    5. El esposo de Sara se llama Andy.
    6. Andy es bajo.
    7. En su tiempo libre, Andy va de compras.
    8. Andy no trabaja.

3. Fill in the chart with information from the text. Check your answers on p 97.

	Sara	**Andy**
Origen		
Años		
Trabajo		
Tiempo Libre		
Descripción		

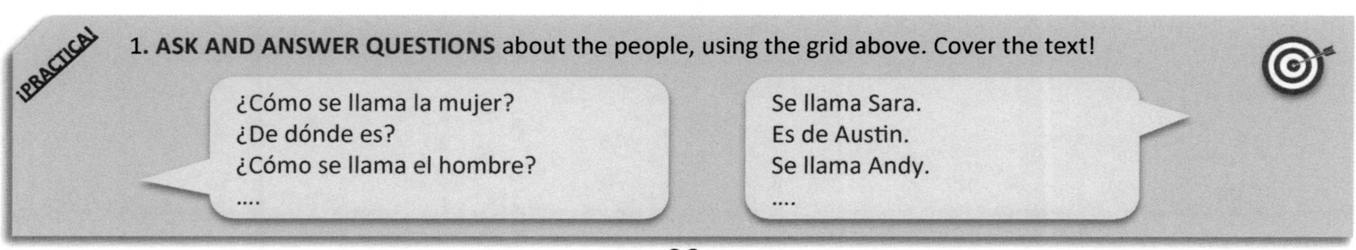

¡PRACTICA!
1. ASK AND ANSWER QUESTIONS about the people, using the grid above. Cover the text!
¿Cómo se llama la mujer?
¿De dónde es?
¿Cómo se llama el hombre?
....
Se llama Sara.
Es de Austin.
Se llama Andy.
....

LET'S REVIEW!

1. Write paragraphs about three people that you know. Use the text on p 26 to help you.

Mi amigo/ Mi amiga/ Mi mamá/ Mi hermano/ Mi jefe se llama...

Mi .... se llama...

Mi ....

I CAN DO IT IN SPANISH!

CHECK YOUR PROGRESS!

After Sección 3, I can:

- ☐ **Talk about the people in my life in Spanish**
- ☐ **Ask questions about others in Spanish**
- ☐ **Address someone formally in Spanish**
- ☐ **Describe friends, family and coworkers in Spanish**
- ☐ **Read about others in Spanish**

¡MUY BIEN!

Sección 4

COMIDA Y COMPRAS

FOOD AND SHOPPING

Talk about food, purchase items

Fast Functions – By the end of this section, I will be able to:

IDENTIFY AND SPEAK ABOUT FOOD • EXPRESS MY LIKES AND DISLIKES • ORDER FOOD IN A RESTAURANT • GO SHOPPING AND INTERACT WITH STORE EMPLOYEES • PURCHASE ITEMS

VOCABULARIO

1. Write food and drinks you already know en español.

tacos
empanadas
cerveza
dulce de leche

2. Say these words.

la leche

el pan

la salchicha

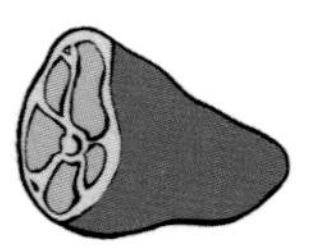
el jamón

las uvas

el pastel

las manzanas

el chocolate

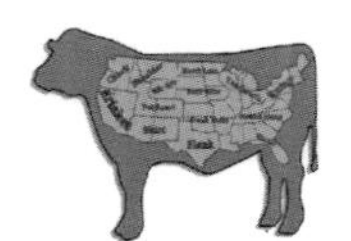
la carne de res

el café

las papas

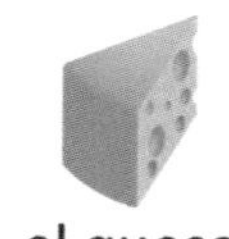
el queso

el helado

las hamburguesas

el arroz

el vino

las galletas

los tomates

el pollo

las zanahorias

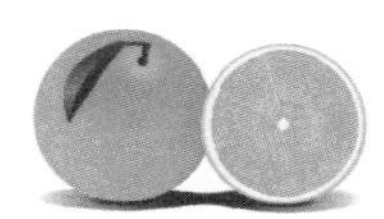
las naranjas

las cerezas

los huevos

las espinacas

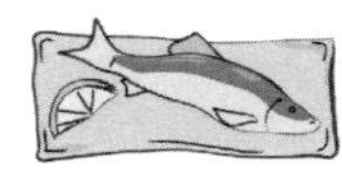
el pescado

QUIZ AND BE QUIZZED!

¿Cómo se dice "papas" en inglés?
¿Cómo se dice "**cookies**" en español?
¿Cómo se dice "**wine**" en español?

"Potatoes."
"Galletas."
"Vino."

¡PRACTICA!

1. **SAY** THE CATEGORY HEADINGS BELOW.
2. **WRITE** THE FOOD ITEMS ON PAGE 29 UNDER THE APPROPRIATE HEADING. THEY MAY FALL UNDER MORE THAN ONE CATEGORY.

LOS VEGETALES
VEGETABLES

LAS BEBIDAS
DRINKS

LA CARNE
MEAT

LOS POSTRES
DESSERTS

LA FRUTA
FRUIT

OTRAS COSAS
OTHER THINGS

EXPRESSING LIKES AND DISLIKES

1. Say these sentences.

singular

Me gust**a** el café.
Me gust**a** la mostaza.

No me gust**a** la leche.
No me gust**a** el pan.

plural

Me gust**an** los tacos.
Me gust**an** las galletas.

No me gust**an** las espinacas.
No me gust**an** los huevos.

GRASPING GRAMMAR

We use (No) me gust**a** with singular nouns. We use (No) me gust**an** with plural nouns.

We use the definite articles **el** and **los** with masculine nouns.*
We use the definite articles **la** and **las** with feminine nouns.*
(el, la: singular; los, las: plural)

2. Say these sentences.

Me gusta mucho el café.
Me gustan mucho las galletas.

Me gusta el café.
Me gustan las galletas.

No me gusta mucho el café.
No me gustan mucho las galletas.

No me gusta el café.
No me gustan las galletas.

No me gusta para nada el café.
No me gustan para nada las galletas.

1. **TALK ABOUT FOOD** YOU LIKE AND DON'T LIKE.

> Me gustan las galletas, pero no me gusta el chocolate para nada. Me gusta mucho el café....

2. **ASK AND ANSWER** QUESTIONS.

> ¿Te gustan los huevos?
> ¿Te gusta el pan?

> No, no mucho.
> Sí, me gusta.

SPANISH CAN BE SNEAKY!

* How do we know which words are masculine, and which are feminine?

- Nouns ending in **-a** and **-ión** are often (but not always) feminine.
- Most other nouns are masculine.

Of course there are exceptions, but this is a good start.

EN EL RESTAURANTE – IN THE RESTAURANT

1. Read the following conversation. What do mesero and cliente (abbreviated here as M and C) mean?
2. Read the dialog again. Look up any new words in the glossary. What does the customer order?

Mesero: Hola, bienvenida. ¿Lista para ordenar?

Cliente: Casi.... pero tengo una pregunta. ¿Tienen biftec?

M: Sí, claro, aquí está en el menú.

C: Muy bien. Un biftec, por favor.

M: ¿Algo para tomar? ¿Una Coca-Cola?

C: No, gracias. No me gusta la Coca-Cola. Agua, por favor.

M: Entonces, un biftec y una botella de agua. ¿Correcto?

C: Sí, perfecto. Gracias.

....

M: Aquí está su comida. ¡Buen provecho!

C: Gracias.

¡PRACTICA!

1. **READ THE DIALOG** one more time.
2. **READ THE CONVERSATION** aloud.
3. **PRACTICE THE CONVERSATION** above. Cover the dialog above with your hand, and try to remember as much as you can, using the words provided below.

Mesero: ...., bienvenida. ¿......... ordenar?
Cliente: ..... pero .... pregunta. ¿......biftec?
M: Sí, ..., ... en el menú.
C: Muy bien. ... biftec, ...
M: ¿........... tomar? ¿... Coca-Cola?
C: No, ... No .... la Coca-Cola. Agua, ...
M: ......, un biftec y una ...... de agua. ¿......?
C: Sí, ... Gracias.
...

M: ...... su comida. ¡Buen provecho!
C: ....

4. **PRACTICE SIMILAR DIALOGS**, without looking at the book at all. Pretend you are in a different restaurant each time, and order whatever you'd like!

VOCABULARIO

¡VAMOS DE COMPRAS! – LET'S GO SHOPPING!

1. Write some things you buy often, en español . Look at the words in the box for ideas. Look up words you don't know.

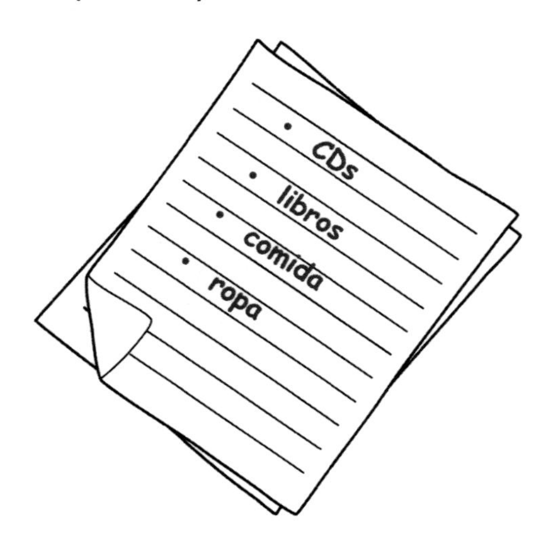

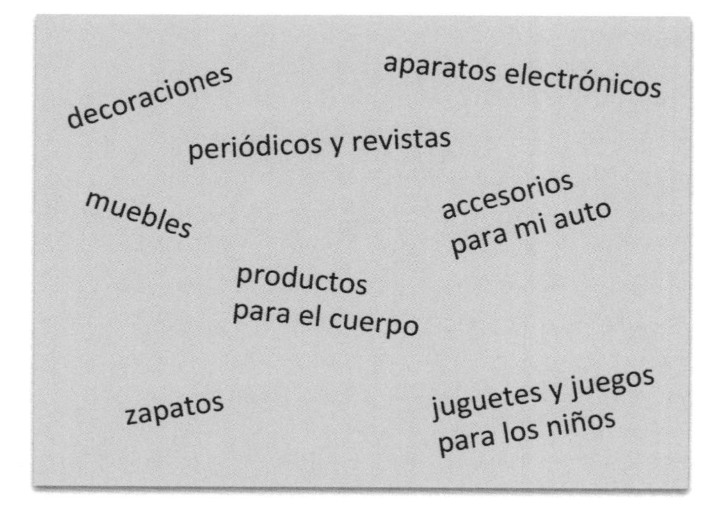

decoraciones
aparatos electrónicos
periódicos y revistas
muebles
accesorios para mi auto
productos para el cuerpo
zapatos
juguetes y juegos para los niños

2. Read this dialog. Look up words you don't know.

Cliente: Me gusta la camisa azul.* ¿Cuánto cuesta?
Empleada: Treinta dólares.
C: ¿Cuánto cuestan los pantalones blancos?*
E: Sesenta y cinco dólares.
C: ¿Aceptan tarjetas de crédito?
E: Sí, aceptamos American Express y Visa.
C: Bien, entonces compro la camisa azul, por favor.
E: Muy bien. El total es treinta y dos dólares con cuarenta centavos.
C: Gracias.
E: Gracias a usted. ¡Adiós!

SPANISH CAN BE SNEAKY!

* Notice in Spanish the adjective usually comes after the noun:

blue shirt - **camisa azul**
white pants - **pantalones blancos**

There are some exceptions, like **nuevos amigos** and **buenos días**, but in general the rule in Spanish is noun + adjective.

¡PRACTICA!

1. **GO SHOPPING!** PRACTICE THE DIALOG ON PAGE 33.
2. **DRAW ITEMS** ON PIECES OF PAPER. PRETEND THEY ARE REAL ITEMS YOU WANT TO PURCHASE. ACT OUT DIALOGS.

¿Cuánto cuesta el teléfono Nokia?

Cien dólares, con contrato.

¿Y el iPhone nuevo?

Setecientos dólares.

....

....

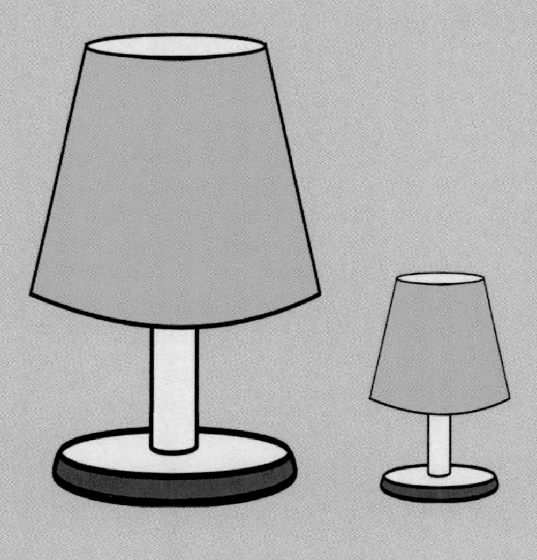

¿Cuánto cuesta la lámpara grande?

Cincuenta dólares.

¿Y la lámpara pequeña?

Veinticinco dólares.

....

....

LET'S REVIEW!

1. Match the definite article with a noun.

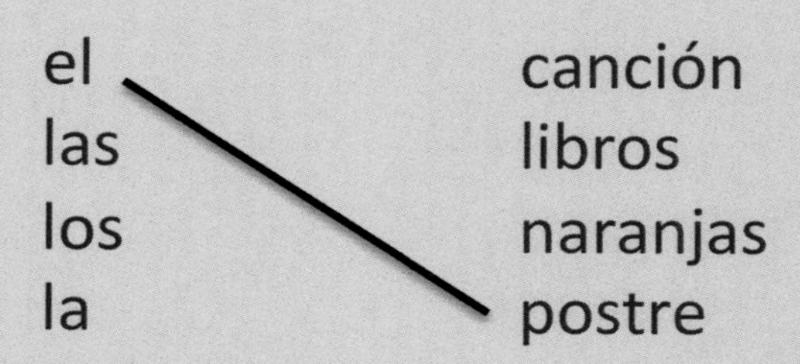

2. Match the words to make grammatically correct sentences. There are a lot of options. How many sentences can you make that are true for you?

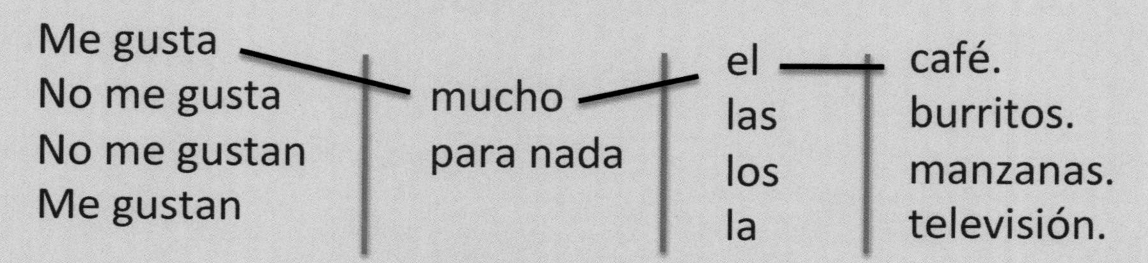

Me gusta
No me gusta
No me gustan
Me gustan
mucho
para nada
el
las
los
la
café.
burritos.
manzanas.
televisión.

3. Put the lines of each dialog in logical order.

3 ¿Discover también?
2 Sí, American Express y Visa.
1 ¿Aceptan tarjetas de crédito?
4 No, solamente American Express y Visa.

__ No, porque soy vegetariana.
__ ¿Te gusta la carne?
__ ¡Interesante! ¿Y la leche?
__ Tomo leche, pero prefiero la leche de soya.

__ Gracias.
__ ¿Cuánto cuesta el CD?
__ Quince dólares.

4. Check all your answers on p 97. Practice the dialogs above.

¿Aceptan tarjetas de crédito?

Sí, American Express y Visa.

¿Discover, también?

No, solamente American Express y Visa.

I CAN DO IT IN SPANISH!

CHECK YOUR PROGRESS!

After Sección 4, I can:

- ☐ **Identify and speak about food in Spanish**
- ☐ **Express my likes and dislikes in Spanish**
- ☐ **Order food in a restaurant in Spanish**
- ☐ **Go shopping and interact with shop employees in Spanish**
- ☐ **Buy things in Spanish**

¡MUY BIEN!

Sección 5

¿DÓNDE ESTÁ?

WHERE IS IT?

Talk about home, the office, and get around town

Fast Functions – By the end of this section, I will be able to:

SPEAK ABOUT THE HOUSE • DESCRIBE AN OFFICE • LOCATE OBJECTS AND PLACES • CHECK IN AT A HOTEL • IDENTIFY PLACES AROUND TOWN • ASK FOR AND GIVE DIRECTIONS

LA CASA – THE HOUSE

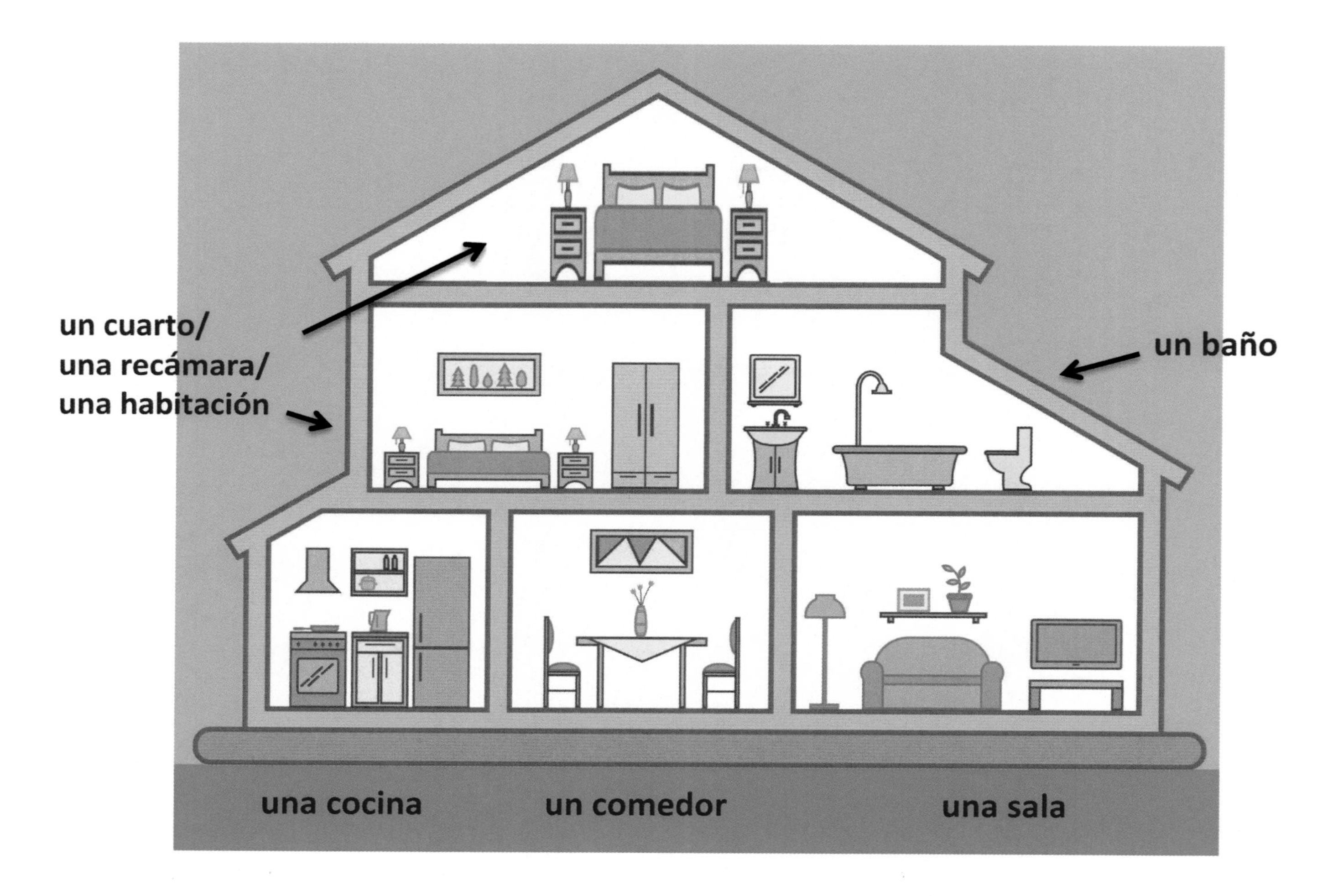

1. Say the rooms of the house en español.

QUIZ AND BE QUIZZED!

¿Cómo se dice "a living room"?
¿Cómo se dice "a bathroom"?

"Una sala."
"Un baño."

GRASPING GRAMMAR

1. Read these sentences about the house on the previous page.

   En la casa, hay una cocina.
   Hay dos habitaciones.

2. Notice **hay** is pronounced like the English word **eye**.
3. Notice we use **hay** with singular and plural nouns.

   Hay = There is/there are

¡PRACTICA!

1. **READ THIS DESCRIPTION** of the house on the previous page.

> **En la casa, hay dos habitaciones. Hay un* baño y una cocina. Hay un comedor. Hay muchos muebles y cinco lámparas. No hay personas en la casa.**

2. **DESCRIBE** your own house.

   En mi casa, hay... No hay....

3. **ASK ABOUT** another person's house, using some of these ideas:

   ¿Cuántos** baños hay? — Hay dos baños.

   ¿Hay un balcón? — Sí, hay un balcón.

un balcón	un comedor
libros	flores
un garaje	animales

SPANISH CAN BE SNEAKY!

* With **hay**, we don't normally use definite articles (**el/los/la/las**). We use different articles, called indefinite articles. These are **un** (before masculine singular nouns), **una** (before feminine singular nouns), and **no article** in front of plural nouns.

Hay **un** balcón.
Hay **una** sala.
Hay libros.

** **¿Cuántos** + masculine plural noun...?
¿Cuántas + feminine plural noun...? = How many...?

LA OFICINA – THE OFFICE

1. Say the words above.

QUIZ AND BE QUIZZED!

¿Cómo se dice "libros" en inglés?
¿Cómo se dice "**chair**" en español?
"Books."
"Silla."

¡PRACTICA!

1. **DESCRIBE THE OFFICE** PICTURED, USING HAY AND THE WORDS YOUR JUST LEARNED.

   En la oficina, hay un escritorio. Hay muchos libros y un cuadro....
   No hay animales, y no hay ....

2. **DESCRIBE YOUR OFFICE.**

   En mi oficina, hay .... y .....
   No hay ...

3. **ASK AND ANSWER QUESTIONS** ABOUT SOMEONE'S OFFICE, USING HAY.

   ¿Hay un teléfono en tu oficina?
   ¿Hay plantas?
   ¿Cuántas plantas hay?

   Sí, hay un teléfono.
   Sí, hay plantas.
   Hay tres plantas.

PREPOSICIONES DE LUGAR – PREPOSITIONS OF PLACE

1. Read these sentences and look at the picture.

En la oficina, hay un escritorio grande.

Encima del* escritorio, hay una computadora.

Detrás del escritorio, hay una mujer.

En frente de la mujer, hay una taza de café.

A la izquierda de la taza, hay papeles.

Detrás de la mujer, hay una ventana.

Debajo de la ventana, hay muchos libros.

Cerca de los libros, hay una planta.

2. Match a preposition with its translation.

_b_ 1. encima de	a. under
_a_ 2. debajo de	b. on top of
_j_ 3. en frente de	c. inside of
_e_ 4. detrás de	d. to the left of
_i_ 5. al lado de	e. behind
_h_ 6. a la derecha de	f. in, on
_d_ 7. a la izquierda de	g. near
_c_ 8. dentro de	h. to the right of
_f_ 9. en	i. next to
_g_ 10. cerca de	j. in front of

Check your answers here: b a j e i h d c f g

QUIZ AND BE QUIZZED!

¿Cómo se dice "a la izquierda de" en inglés?
¿Cómo se dice "near" en español?

"To the left of."
"Cerca de."

SPANISH CAN BE SNEAKY!

* **del** = de + el
al = a + el

¡PRACTICA!

1. **READ THIS DESCRIPTION** OF AN OFFICE.

En la oficina, hay un escritorio grande. Encima del escritorio, hay una computadora. En frente de la computadora, hay una silla. Al lado de la computadora, hay un teléfono celular. A la izquierda del escritorio, hay una mesa pequeña. En la mesa hay tres libros y una planta. Detrás de la mesa y del escritorio hay una ventana. A la derecha de la ventana hay tres cuadros. No hay lámparas.

2. **DRAW A PICTURE** HERE OF THE OFFICE DESCRIBED. THE DESK HAS BEEN DRAWN FOR YOU.

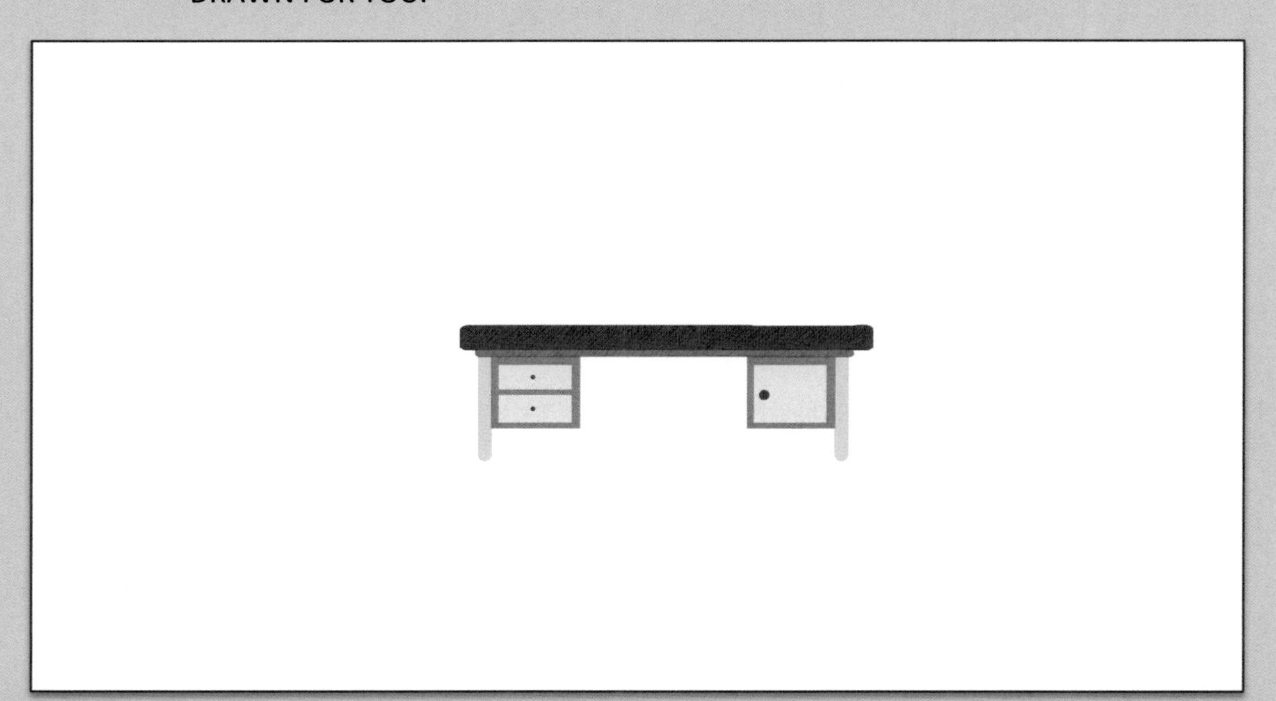

3. **COMPARE YOUR DRAWING** WITH THE PICTURE ON PAGE 98.

4. **DESCRIBE YOUR OFFICE** OR WORKSPACE AND ASK A SPANISH-SPEAKING PARTNER TO DRAW IT.

EN EL HOTEL – AT THE HOTEL

1. What are things people may ask about in a hotel? Make a short list en español. Your teacher, Spanish-speaking friend, glossary, or dictionary can help you.

- una piscina - a pool
- conexión de Internet - wifi
- contraseña - password
- un restaurante - a restaurant
- un autobús de servicio - a shuttle
- ascensor, elevador - elevator

2. Read this dialog. Underline new words. Look them up in the glossary as needed.

Empleado: Hola, ¡bienvenido! ¿Su nombre, por favor?

Cliente: Me llamo Peter Cole.

E: ¿Cómo se escribe, por favor?

C: P-E-T-E-R C-O-L-E. Tengo una reservación por dos noches.

E: Muy bien, Señor Cole. Su habitación es 253.

C: ¿Hay acceso a Internet?

E: Sí, la contraseña es hotelgomez123.

C: ¿Contraseña?

E: Sí, señor, la contraseña. El código de Internet.

C: Ah, muy bien. Entiendo. Otra pregunta – ¿Hay piscina?

E: Sí, claro. En el primer piso, al lado del gimnasio.

C: Gracias.

E: Aquí está su llave. El ascensor está ahí, a la derecha.

1. **PRACTICE** THE DIALOG ABOVE WITH A SPEAKING PARTNER.
2. **MAKE UP** OTHER CONVERSATIONS YOU MIGHT HAVE AT A HOTEL. USE THE IDEAS FROM EXERCISE 1 ABOVE TO ASK FOR OTHER THINGS YOU MIGHT WANT OR NEED.

EL PUEBLO Y LA CIUDAD – THE TOWN AND THE CITY

1. Read the words for places around town below. Can you think of more en español?

2. Read the dialogs. Write the names of the places in the correct spaces on the map. Check your answers on p 98.

a. - ¿Dónde está* el museo?
- En la Calle 12, en frente del banco.
- Muchas gracias.
- De nada.

b. - ¿Dónde está el parque?
- En la Avenida del Sol, al lado del supermercado.
- Gracias.
- No hay de qué.**

¡PRACTICA!
1. HAVE SIMILAR CONVERSATIONS. ASK ABOUT REAL PLACES IN YOUR TOWN.
¿Dónde está el teatro?
Está en....
¿Dónde está el Starbucks?
Está en....

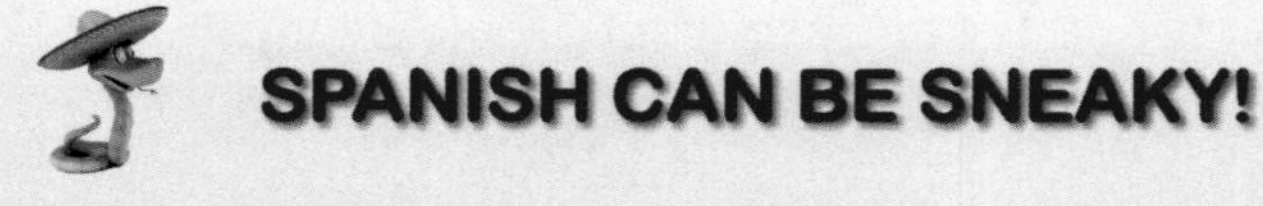

* **¿Dónde está...?** - Where is...?

está - is

In past chapters, you learned: **es** = is.
En español, there are two verbs for "to be".
You will learn more about this in Sección 8.

** **No hay de qué. = De nada. = You're welcome.**

I CAN DO IT IN SPANISH!

CHECK YOUR PROGRESS!

After Sección 5, I can:

- ☐ **Speak about the house in Spanish**
- ☐ **Describe an office in Spanish**
- ☐ **Locate objects and places in Spanish**
- ☐ **Check in at a hotel in Spanish**
- ☐ **Ask for and give directions in Spanish**

¡MUY BIEN!

Sección 6

¡HABLA MÁS DE TI!

SPEAK MORE ABOUT YOURSELF!

Expand initial conversations

Fast Functions – By the end of this section, I will be able to:

INTRODUCE MYSELF AT LENGTH AND ASK OTHERS QUESTIONS • KEEP INITIAL CONVERSATIONS GOING • MAKE "SMALL TALK" • SPEAK ABOUT IMPORTANT AREAS OF LIFE • WRITE ABOUT MYSELF AT LENGTH

1. Read the conversation between Yvonne and her new coworker Amanda. With a speaking partner, practice the dialog as it is written below.

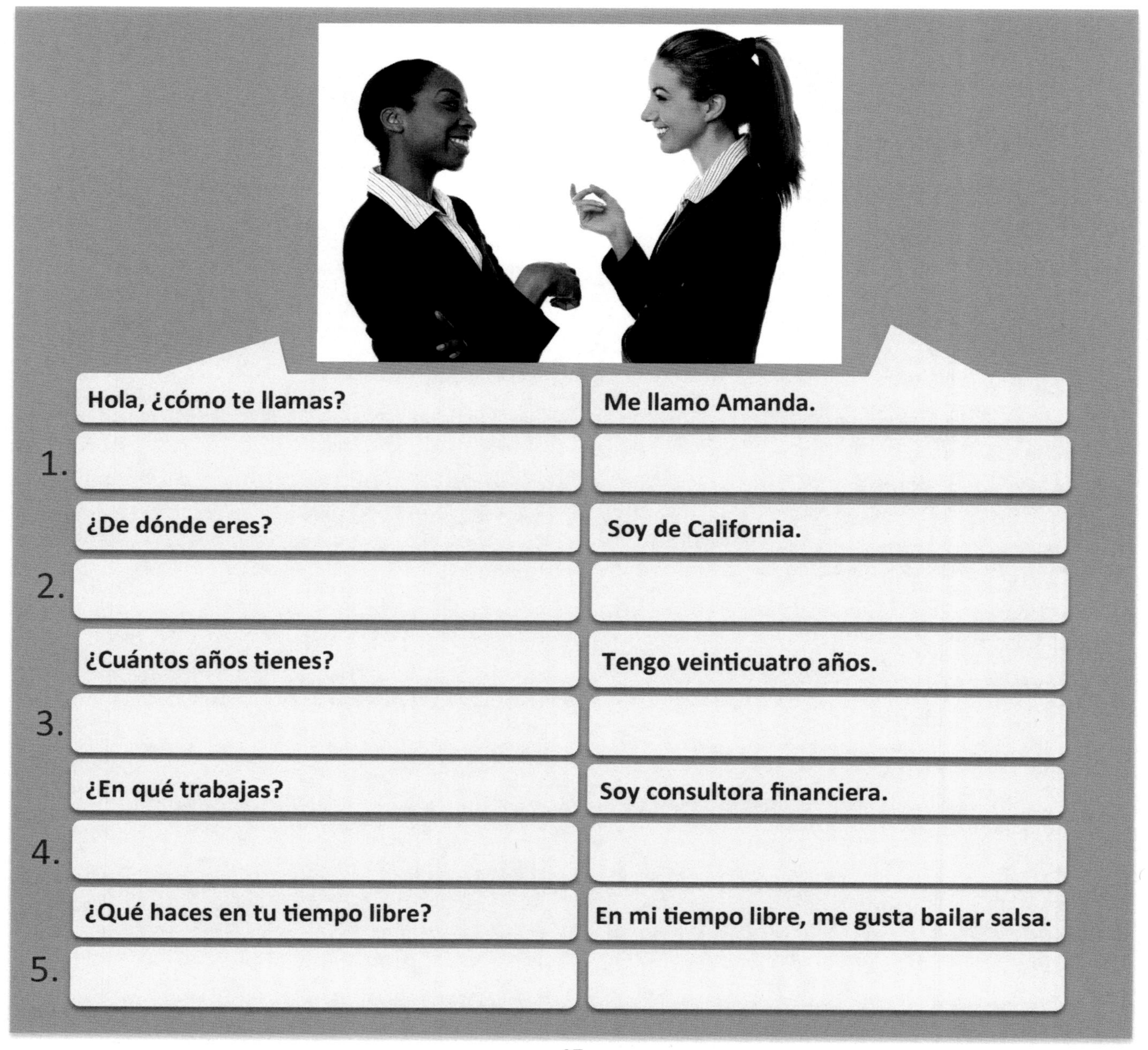

Hola, ¿cómo te llamas?
Me llamo Amanda.
1.
¿De dónde eres?
Soy de California.
2.
¿Cuántos años tienes?
Tengo veinticuatro años.
3.
¿En qué trabajas?
Soy consultora financiera.
4.
¿Qué haces en tu tiempo libre?
En mi tiempo libre, me gusta bailar salsa.
5.

2. Look at the short conversation on the previous page, and add the following lines in the correct spaces to expand the conversation. Check your answers on page 99.

a.	**Pareces más joven.**	**Gracias.**
b.	**¿De dónde exactamente?**	**Soy de Los Ángeles.**
c.	**¿Dónde te gusta bailar?**	**Voy al Club Tropicana para bailar salsa todas las semanas.**
d.	**¿Te gusta tu trabajo?**	**¡Sí, muchísimo!**
e.	**Mucho gusto.**	**Igualmente.**

OTRAS POSIBILIDADES – OTHER POSSIBILITIES

Here are some other words and phrases commonly used to keep a conversation going. Use the glossary or a dictionary to clarify unfamiliar expressions.

Yo también.	**¿Qué tipo de deporte/baile/música?**
¿Y tú?	**¿Dónde trabajas?**
¡Interesante!	**¿De qué ciudad/pueblo?**
A mí también me gusta....	**Tengo un amigo de Los Ángeles.**
¿Dónde...?	**¡Qué casualidad!/¡Qué coincidencia!**
En....	**¿Por qué...?**

¡PRACTICA!

1. **PRETEND** YOU ARE YVONNE AND AMANDA. HAVE A LONG, UNSCRIPTED CONVERSATION WITH A SPEAKING PARTNER.

Hola, ¿cómo te llamas?	**Me llamo Amanda.**
Mucho gusto.	**Igualmente.**
¿De dónde eres?	**Soy de Los Ángeles.**
¡Qué casualidad! Tengo un amigo de Los Ángeles.	**Interesante. ¿Cómo se llama?**
Mitch Hollister. Trabaja en mi departamento.	**¿En qué departamento trabajas?**
Trabajo en el departamento legal.	**¿Te gusta tu trabajo?**
Más o menos. Y tú, ¿trabajas en...?	**.....**
.....	**.....**

2. **BE YOURSELF!** HAVE LONG CONVERSATIONS WITH A SPEAKING PARTNER. ASK ABOUT HIS/HER ORIGIN, JOB, HOBBIES, FAMILY, FRIENDS, HOUSE, PETS, FAVORITE FOODS, FAVORITE PLACES, AND ANYTHING YOU WANT!

Hola, ¿cómo te llamas?	**Me llamo .....**
.....	**.....**
¿De dónde eres?	**.....**
.....	**Interesante....**
¿Te gusta...?	**.....**
.....	**.....**

TÚ, YO Y OTRAS PERSONAS – YOU, ME, AND OTHERS

1. Fill in the blanks in each conversation, choosing from the phrases in the box below, then check your answers on p 99.

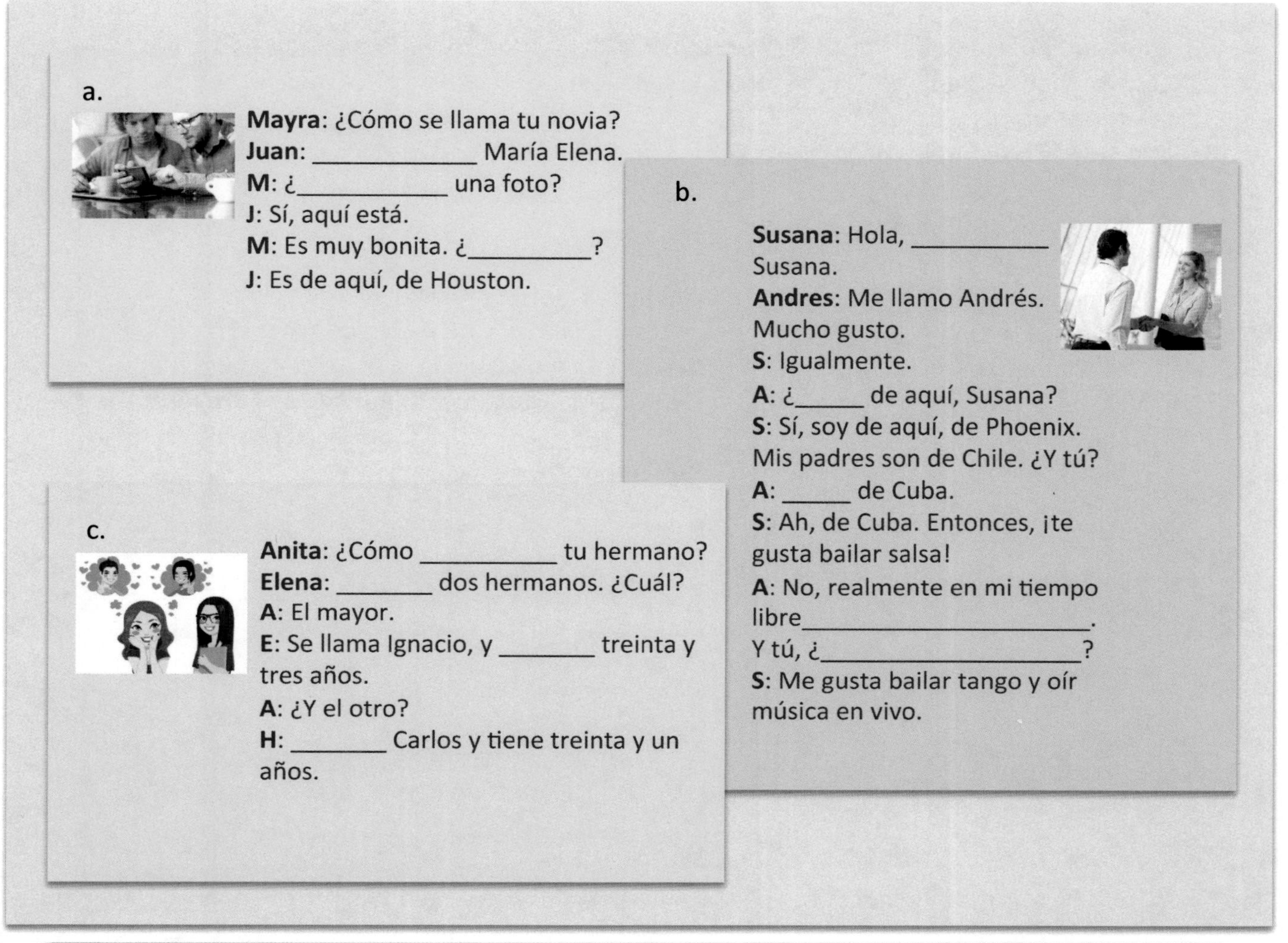

a.

Mayra: ¿Cómo se llama tu novia?
Juan: ____________ María Elena.
M: ¿____________ una foto?
J: Sí, aquí está.
M: Es muy bonita. ¿__________?
J: Es de aquí, de Houston.

b.

Susana: Hola, ___________ Susana.
Andres: Me llamo Andrés. Mucho gusto.
S: Igualmente.
A: ¿______ de aquí, Susana?
S: Sí, soy de aquí, de Phoenix. Mis padres son de Chile. ¿Y tú?
A: ______ de Cuba.
S: Ah, de Cuba. Entonces, ¡te gusta bailar salsa!
A: No, realmente en mi tiempo libre______________________.
Y tú, ¿______________________?
S: Me gusta bailar tango y oír música en vivo.

c.

Anita: ¿Cómo __________ tu hermano?
Elena: ________ dos hermanos. ¿Cuál?
A: El mayor.
E: Se llama Ignacio, y ________ treinta y tres años.
A: ¿Y el otro?
H: ________ Carlos y tiene treinta y un años.

Tengo **Tienes** **qué haces en tu tiempo libre** **me llamo** **Eres** **Soy** **me gusta leer y salir con mis amigos** **Se llama** **Se llama** **tiene** **se llama** **De dónde es**

1. **PRACTICE** THE CONVERSATIONS ABOVE WITH A SPEAKING PARTNER. TAKE TURNS.
2. **PRACTICE** SIMILAR CONVERSATIONS, EXCHANGING INFORMATION ABOUT YOU AND YOUR PARTNER.

GRASPING GRAMMAR

Look at the completed dialogs on the previous page.

1. Can you find examples of the first person singular (**yo**) form?
2. Can you find examples of the second person singular informal (**tú**) form? What letter do all the forms of this person end in?
3. Can you find examples of the third person singular (**él/ella**) form?

4. Complete the statements:

   a) I use the ________________ form to talk about myself.
   b) I use the ________________ form to talk about you, or ask questions about you, if you and I are on informal terms (children, good friends, family, young people).
   c) I use the ________________ form to talk about another person.

Check your answers on page 99.

¡PRACTICA!

1. **WRITE** FOUR "TITLES" OF PEOPLE IN YOUR LIFE ON A PIECE OF PAPER.
2. **ASK** AND ANSWER QUESTIONS WITH A SPEAKING PARTNER ABOUT THESE PEOPLE.

¿Cómo se llama tu mamá?
¿De dónde es?
¿Cuántos años tiene?
¿En qué trabaja?
¿Qué hace en su tiempo libre?

Se llama Rosa.
Es de Brasil.
Tiene 55 años.
Es maestra.
Le gusta ir al gimnasio.

- Mi amiga
- Mi amiga
- Mi mamá
- Mi compañero de trabajo

¿Cómo se llama tu amiga?
¿De dónde es?
¿Cuántos años tiene?
¿En qué trabaja?
¿Qué hace en su tiempo libre?

Se llama Verónica.
Es de Argentina.
Tiene 35 años.
Es gerente.
Le gusta correr en el parque.

¿Cómo se llama tu compañero de trabajo?
¿De dónde...?
¿Cuántos años ...?
¿En qué ...?
¿...?

Se llama Mitch.
Es de ....
Tiene ....
....
....

LET'S REVIEW!

Fill in the charts below with the correct forms of the verbs.

VERBOS

	SER (to be)	HACER (to do/make)	TENER (to have)	LLAMARSE (to call oneself)
yo (I)		hago		
tú (you - informal)		haces	tienes	te llamas
él/ella/usted (he/she/you, formal)	es		tiene	

GUSTARLE (to like, to be pleasing to)
me gusta

PRONOMBRES PERSONALES

sujeto	reflexivo	indirecto	posesivo
yo		me	mi(s)
tú	te	te	
él/ella/usted	se		su(s)

Check your answers on page 99.

QUIZ AND BE QUIZZED!

¿Cómo se dice **"I am"**?
¿Cómo se dice **"his name is"**?
¿Cómo se dice **"You have," singular formal**?

"Soy."
"Se llama."
"Tiene."

¡PRACTICA!

1. **ASK** A SPEAKING PARTNER ABOUT HIS/HER LIFE. ASK AND ANSWER QUESTIONS ABOUT HIM/HER – JOBS, HOBBIES, PREFERENCES, ETC.

2. **ASK** ABOUT OTHER PEOPLE IN YOUR SPEAKING PARTNER'S LIFE – FRIENDS, FAMILY, ETC. ASK AND ANSWER QUESTIONS ABOUT THEIR FRIEND'S OR FAMILY MEMBER'S JOBS, HOBBIES, PREFERENCES, ETC.

3. **HOW LONG** CAN YOU CAN KEEP THE CONVERSATION GOING? CAN YOU SPEAK FOR MORE THAN TWENTY MINUTES, ONLY EN ESPAÑOL?

¡ESCRIBE! – WRITE!

1. Write a paragraph about yourself.

Me llamo.... Soy de....

2. Write a paragraph about a friend or family member.

Se llama....

3. Write a dialog between two people meeting for the first time.

Hola, ¿cómo te llamas?
....
¿De dónde eres?
....
¡Interesante! ¿...., exactamente?
.... ¿Y tú?
....
....

EL AMIGO DE FRANCISCO

1. Before reading the text on the next page, look at these people and guess who they are – their names, jobs, hobbies, etc. With a speaking partner, use the questions below and your imagination to speak about them, **en español**.

¿Quién es la muchacha? ¿Cómo se llama?
¿De dónde es?
¿Cuántos años tiene?
¿En qué trabaja?
¿Qué hace en su tiempo libre?
Y el muchacho alto, ¿cómo se llama?
¿De dónde es?
etc...
¿Cómo se llama el otro muchacho?
...

2. Now read the dialog quickly and check if your ideas match what's written in the text.

Corina: Hola, me llamo Corina. Y tú, ¿cómo te llamas?
Francisco: Hola, me llamo Francisco.
C: ¿Eres de Houston?
F: No, soy de la Ciudad de México, pero trabajo en Houston.
C: ¿En qué trabajas?
F: Trabajo en construcción. Soy gerente en una compañía que se llama Safe-Rite Construction.
C: ¿Y tu amigo?
F: ¿Cuál amigo?
C: Tu amigo guapo, allá. Tiene una camisa azul.
F: Ah, se llama Felipe. Es de Honduras. Trabaja conmigo. También es gerente.
C: Mmm...y...¿cuántos años tiene?
F: Veintidós.
C: Es muy joven para mí. Yo tengo veintiocho años.
F: ¡Qué lástima! Es muy interesante. Le gusta jugar todos los deportes, especialmente tenis.
C: ¡Qué casualidad! ¡A mí también me gusta jugar tenis!
F: Entonces, ¡ven, que te lo presento!
C: Bueno, está bien....

3. Read the text again and answer the following questions. ¿Cierto o Falso? – True or False?

a. Corina dice que Francisco es guapo.
b. Francisco es de Houston pero trabaja en México.
c. El amigo de Francisco se llama Felipe, y es europeo.
d. Felipe tiene un suéter blanco.
e. Felipe y Francisco trabajan en construcción.
f. Felipe y Corina tienen veintidós años.
g. Corina prefiere salir con los muchachos jóvenes.
h. Al final de la conversación, Corina decide hablar con Felipe porque Felipe es interesante y le gusta jugar tenis.

Respuestas: F F F F C F F C

¡PRACTICA!

1. **PRACTICE** THE DIALOG WITH A SPEAKING PARTNER. TAKE TURNS READING EACH PART.

I CAN DO IT IN SPANISH!

CHECK YOUR PROGRESS!

After Sección 6, I can:

- [ ] **Introduce myself at length and ask others questions**
- [ ] **Keep initial conversations going**
- [ ] **Make "small talk"**
- [ ] **Speak about important areas of my life**
- [ ] **Write about myself at length**

¡MUY BIEN!

Sección 7

¡TODOS JUNTOS!

ALL TOGETHER!

Speak in the plural: **Nosotros/as** (We) – **Ustedes** (Y'all) – **Ellos/Ellas** (They)

Fast Functions – By the end of this section, I will be able to:

SPEAK ABOUT MORE THAN ONE PERSON (PLURAL FORMS) • ADDRESS GROUPS OF PEOPLE • ASK QUESTIONS ABOUT MORE THAN ONE PERSON • GIVE DETAILS OF MULTIPLE PEOPLE IN MY LIFE, SUCH AS FAMILY AND FRIENDS • READ ABOUT OTHERS' FAMILY AND FRIENDS

FIRST PERSON PLURAL – NOSOTROS/NOSOTRAS

1. Read how Roberto introduces himself and his wife to Daniel.

Nos llamamos Roberto y Nadia.
Somos de Nueva York.
Somos ingeniero y doctora.
En **nuestro** tiempo libre,
nos gusta jugar golf.

2. Memorize the lines above and say them out loud.

1. **WITH A SPEAKING PARTNER** PRACTICE THE CONVERSATION ABOVE, FROM MEMORY IF POSSIBLE. PRETEND YOU ARE ROBERTO, AND INTRODUCE YOURSELF AND NADIA.

2. **BE YOURSELVES!** INTRODUCE YOURSELF AND YOUR SPEAKING PARTNER TO SOMEONE ELSE.

SECOND PERSON PLURAL – USTEDES

1. Read how Daniel addresses Roberto and Nadia and asks them questions about themselves.

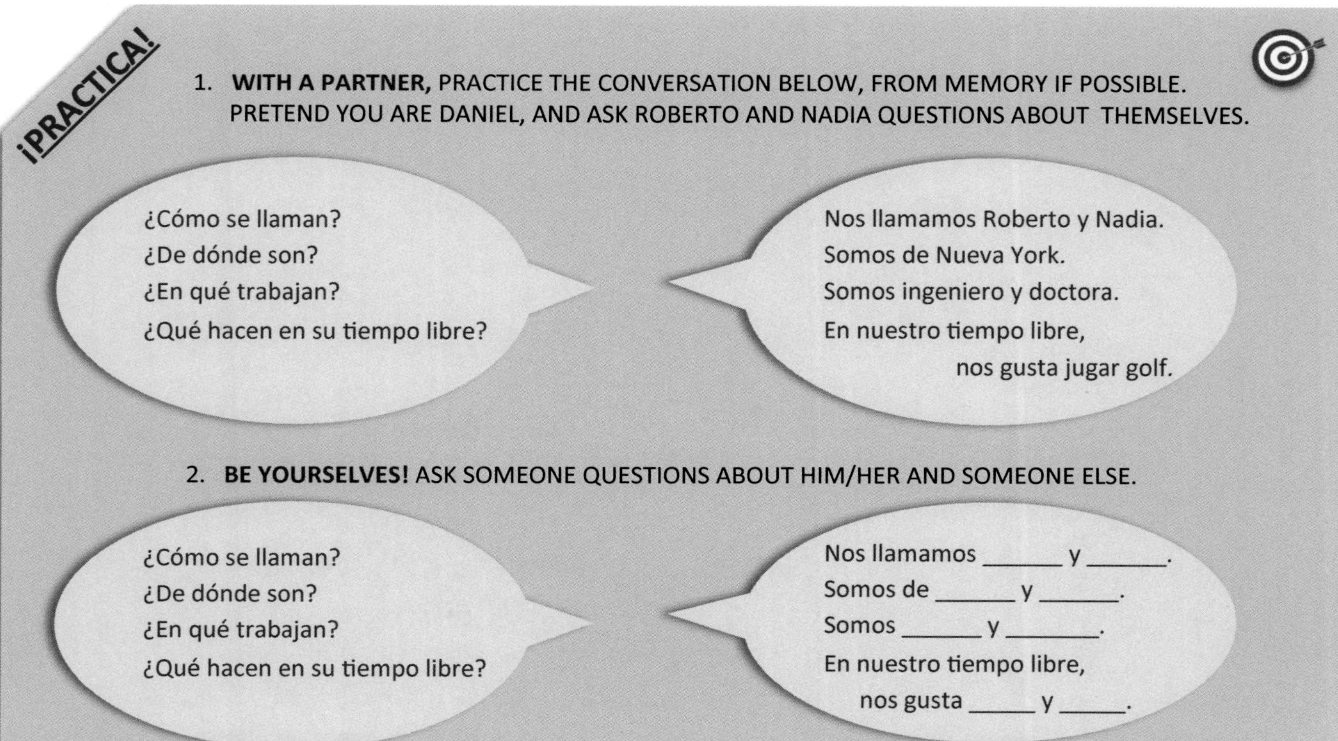

¡PRACTICA!
1. **WITH A PARTNER,** PRACTICE THE CONVERSATION BELOW, FROM MEMORY IF POSSIBLE. PRETEND YOU ARE DANIEL, AND ASK ROBERTO AND NADIA QUESTIONS ABOUT THEMSELVES.
¿Cómo se llaman?
¿De dónde son?
¿En qué trabajan?
¿Qué hacen en su tiempo libre?
Nos llamamos Roberto y Nadia.
Somos de Nueva York.
Somos ingeniero y doctora.
En nuestro tiempo libre,
nos gusta jugar golf.
2. **BE YOURSELVES!** ASK SOMEONE QUESTIONS ABOUT HIM/HER AND SOMEONE ELSE.
¿Cómo se llaman?
¿De dónde son?
¿En qué trabajan?
¿Qué hacen en su tiempo libre?
Nos llamamos ______ y ______.
Somos de ______ y ______.
Somos ______ y _______.
En nuestro tiempo libre,
nos gusta _____ y _____.

LET'S REVIEW!

¡PRACTICA!

1. **ASK A SPEAKING PARTNER QUESTIONS** ABOUT HIMSELF/ HERSELF.

¡PRACTICA!

2. **ASK YOUR SPEAKING PARTNER QUESTIONS** ABOUT HIS/HER SPOUSE OR BEST FRIEND.

¡PRACTICA!

3. **ASK YOUR SPEAKING PARTNER QUESTIONS** ABOUT HIM/HER AND HIS/HER SPOUSE OR BEST FRIEND.

THIRD PERSON PLURAL – ELLOS/ELLAS

1. Read how Olga talks about her children to Cynthia.

Mis hijos **se llaman** Mario y Javier.
Son de Dallas.
Son estudiantes.
En **su** tiempo libre,
les gusta jugar videojuegos.

2. Memorize the lines above and repeat them.

¡PRACTICA!

1. **LOOK AT THE QUESTION FORMS** THAT CYNTHIA WOULD USE TO ASK OLGA ABOUT OLGA'S CHILDREN.

¿Cómo **se llaman**?
¿De dónde **son**?
¿En qué **trabajan**?
¿Qué **hacen** en **su** tiempo libre?

Se llaman Mario y Javier.
Son de Dallas.
Son estudiantes.
En **su** tiempo libre,
les gusta jugar videojuegos.

2. **PRACTICE** THE QUESTIONS AND ANSWERS ABOVE WITH A SPEAKING PARTNER.
3. **ASK AND ANSWER QUESTIONS** ABOUT YOUR SPEAKING PARTNER'S CHILDREN, PARENTS, OR FRIENDS.

¿Cómo se llaman tus hijos/padres/amigos?
¿De dónde son?
¿En qué trabajan?
¿Qué hacen en su tiempo libre?

Se llaman _____ y ______.
Son de ______ y _______.
Son _______ y ________.
En su tiempo libre,
les gusta ______ y ______.

GRASPING GRAMMAR

ALGUNOS VERBOS Y PRONOMBRES EN EL PRESENTE - FORMAS SINGULARES Y PLURALES

SOME VERBS AND PRONOUNS IN THE PRESENT – SINGULAR AND PLURAL FORMS

Fill in the charts below with the correct forms of the verbs.

VERBOS

	SER (to be)	HACER (to do/make)	TENER (to have)	LLAMARSE (to call oneself)
yo (I)		hago		
tú (you - informal)		haces	tienes	te llamas
él/ella/usted (he/she/you, formal)	es		tiene	
nosotros/nosotras (we)	somos			nos llamamos
ellos/ellas/ustedes (they)		hacen		

GUSTARLE (to like, to be pleasing to)
me gusta
le gusta
nos gusta

PRONOMBRES

sujeto	reflexivo	indirecto	posesivo
yo		me	mi(s)
tú	te	te	
él/ella/usted	se		su(s)
nosotros/nosotras	nos		
ellos/ellas/ustedes		les	su(s)

Check your answers on page 99.

QUIZ AND BE QUIZZED!

¿Cómo se dice "I am"?
¿Cómo se dice "his name is"?
¿Cómo se dice "you have (formal)"?
¿Cómo se dice "they are"?
¿Cómo se dice "their names are" o "they call themselves"?
¿Cómo se dice "y'all have"?

"Soy".
"Se llama".
"Tiene".
"Son".
"Se llaman".
"Tienen".

LECTURA – READING

MI FAMILIA, MI COMPAÑERA DE CLASE, SU FAMILIA Y YO

1. Look at the picture. Who are these people? Use your imagination to answer these questions:

¿Cómo se llaman las mujeres? ¿De dónde son? ¿Cuántos años tienen? ¿Qué hacen en su tiempo libre? ¿Tienen familia? ¿Cómo se llaman sus hijos? etc....

2. Make sentences based on your ideas.

Los niños se llaman .....
Son de .....
Tienen .... años.
etc.

Las mujeres se llaman .....
Son de .....
Tienen .... años.
etc.

El niño se llama .....
Es de .....
Tiene .... años.
etc.

MI FAMILIA, MI COMPAÑERA DE CLASE, SU FAMILIA Y YO

3. Quickly read the text and see if some of your ideas match what is written in the text.

Hola, me llamo Silvia y ésta es mi compañera de clase, Bárbara. Bárbara es de Houston, pero su familia es italiana. Mi familia y yo somos de los Estados Unidos, pero me gusta mucho Italia. Bárbara tiene treinta años y yo también. Ella trabaja para un periódico, y yo soy maestra. En mi tiempo libre me gusta bailar, pero a Bárbara no le gusta. Ella prefiere salir con sus niños al parque y al cine. Ella tiene un hijo y una hija, Mark y Amber. Son mellizos de diez años. Yo no tengo niños, pero tengo un sobrino que se llama Mikey. Tiene siete años. ¡Es muy inteligente y guapo! Bárbara y sus niños viven en una casa en Kingwood, Texas. Tienen un jardín grande y dos perros. Yo vivo en un apartamento en el centro de Houston.

4. Read the text again and complete the grid with information from the text. Write notes, not full sentences. If no information is given, write an X in the box. The first few have been done for you.

	Silvia	Su familia	Bárbara	Su familia
ORIGEN	EEUU (Estados Unidos)	EEUU (Estados Unidos)	Houston	Italia
AÑOS	30			
TRABAJO				
TIEMPO LIBRE				
DESCRIPCIÓN	X			
CASA/ APARTAMENTO				

Check your answers on p 100.

¡PRACTICA!

1. **COVER THE TEXT** AND LOOK AT THE GRID ON PAGE 61. USE THE INFORMATION TO MAKE SENTENCES. PRACTICE WITH A SPEAKING PARTNER.

Silvia es de los Estados Unidos.
Tiene treinta años.
Su sobrino Mikey tiene siete años.
Bárbara tiene dos hijos.
Se llaman Mark y Amber.
....

2. **ASK AND ANSWER QUESTIONS** WITH YOUR SPEAKING PARTNER ABOUT SILVIA AND BARBARA AND THEIR FAMILIES.

¿Cómo se llama el sobrino de Bárbara?
¿Cómo se llaman los hijos de Silvia?
¿Cuántos años tienen?
.....

Se llama Mikey.
Se llaman Mark y Amber.
Tienen .....
....

3. **FILL IN THE GRID** BELOW WITH INFORMATION ABOUT YOU AND YOUR FAMILY MEMBERS.

	Yo	Las personas en mi familia
Nombre		
Origen		
Años		
Trabajo		
Tiempo LIbre		
Descripción		
Casa/ Apto.		

4. **ASK YOUR PARTNER** QUESTIONS AND FILL IN THE GRID WITH HIS/HER ANSWERS.

	Mi compañero/a	Las personas en su familia
Nombre		
Origen		
Años		
Trabajo		
Tiempo LIbre		
Descripción		
Casa/ Apto.		

5. **USE THE INFORMATION** IN THE GRIDS TO TALK ABOUT YOU, YOUR FRIENDS, YOUR FAMILY, YOUR SPEAKING PARTNER, AND HIS/HER FAMILY.

Me llamo .... y mi compañero/a se llama..... Soy de.... Mi compañero/a es de .... Tiene .... hermanos. Son de.... Les gusta.....

LET'S REVIEW!

1. **ASK YOUR SPEAKING PARTNER** QUESTIONS ABOUT THE TOPICS BELOW. ASK ABOUT HIM/HER, AND ABOUT HIS/HER FRIENDS AND FAMILY MEMBERS. SHARE AS MUCH AS YOU CAN, AND ASK FOLLOW-UP QUESTIONS.

   HOW LONG CAN YOU CAN KEEP THE CONVERSATION GOING? CAN YOU SPEAK FOR TWENTY OR THIRTY MINUTES ABOUT THESE TOPICS, ONLY EN ESPAÑOL?

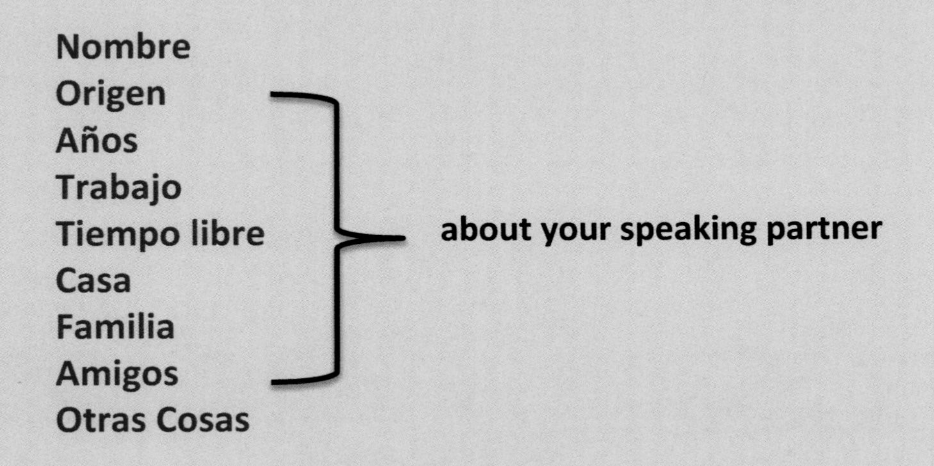

Nombre
Origen
Años
Trabajo
Tiempo libre
Casa
Familia
Amigos
Otras Cosas
about your speaking partner

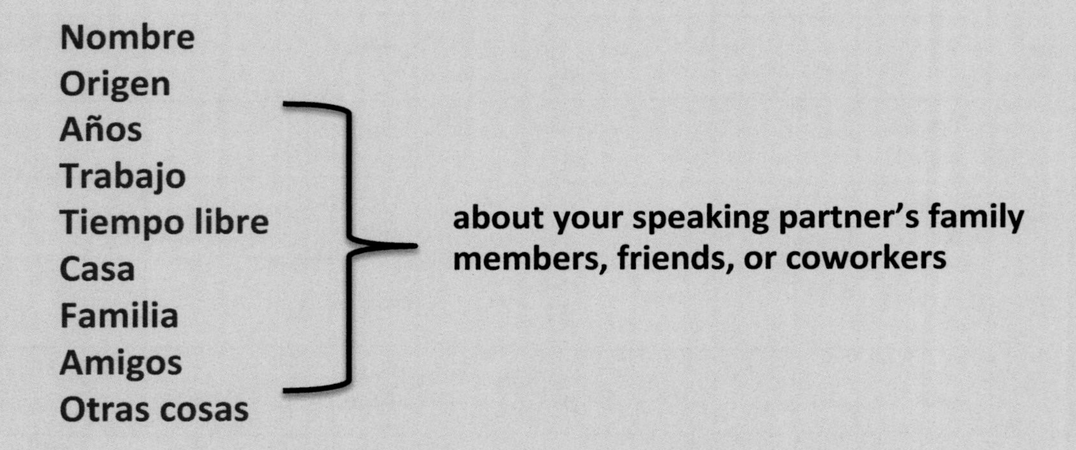

Nombre
Origen
Años
Trabajo
Tiempo libre
Casa
Familia
Amigos
Otras cosas
about your speaking partner's family members, friends, or coworkers

2. **SWITCH ROLES!** YOUR SPEAKING PARTNER IS NOW ASKING YOU QUESTIONS. CAN YOU SPEAK FOR TWENTY OR THIRTY MORE MINUTES ABOUT THESE TOPICS, ONLY EN ESPAÑOL?

I CAN DO IT IN SPANISH!

CHECK YOUR PROGRESS!

After Sección 7, I can:

- [ ] **Speak about more than one person or groups of people**
- [ ] **Address multiple people or groups of people**
- [ ] **Ask questions about more than one person**
- [ ] **Give details about groups of people in my life, such as family and friends**
- [ ] **Read about others' friends and family**

¡MUY BIEN!

Sección 8

LUGARES, COSAS Y PERSONAS

PLACES, THINGS AND PEOPLE

Speak about everyday objects, use the verb ir (to go), ask for directions

Fast Functions – By the end of this section, I will be able to:

IDENTIFY AND SPEAK ABOUT EVERYDAY OBJECTS • IDENTIFY AND SPEAK ABOUT PLACES AROUND TOWN • TALK ABOUT GOING PLACES (IR) • ASK FOR AND GIVE DIRECTIONS • DESCRIBE INHERENT CHARACTERISTICS (SER), AND LOCATIONS AND FEELINGS (ESTAR)

VOCABULARIO

1. Write all the words you know in each category, en español. If you need ideas, look around you and think of people, places, things and everyday situations in your life. If you think of a word in English, but don't know it en español, write it down in English and look it up later.

CASA

LUGARES

PERSONAS

TRANSPORTE

OBJETOS

ANIMALES

ESCUELA/TRABAJO/OFICINA

VOCABULARIO

PALABRAS COMUNES – COMMONLY-USED WORDS

1. Match a word with its translation.

___	1. **gato/a**	a. **dog**
___	2. **perro/a**	b. **car**
___	3. **amigo/a**	c. **bicycle, bike**
___	4. **carro, coche**	d. **garden**
___	5. **bicicleta**	e. **watch, clock**
___	6. **casa**	f. **child**
___	7. **jardín**	g. **postage stamp, seal**
___	8. **niño/a**	h. **bag**
___	9. **teléfono**	i. **key**
___	10. **reloj**	j. **flowers**
___	11. **sello**	k. **newspaper**
___	12. **papel**	l. **letter**
___	13. **pluma, bolígrafo**	m. **pen, ball-point pen**
___	14. **lápiz**	n. **magazine**
___	15. **llave** (f.)*	o. **paper**
___	16. **flores** (f.)*	p. **house**
___	17. **bolsa**	q. **friend**
___	18. **periódico**	r. **cat**
___	19. **revista**	s. **telephone**
___	20. **carta**	t. **pencil**

Respuestas: r a q b c p d f s e g o m t i j h k n l

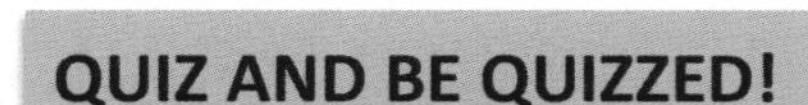

QUIZ AND BE QUIZZED!

¿Cómo se dice "carta" en inglés?
¿Cómo se dice "**friend**" en español?

"Letter."
"Amigo, amiga."

GRASPING GRAMMAR

* Words ending in **-a** or **-ión** are usually (but not always) feminine.

Words ending in -**o** or any other letter are usually (but not always) masculine.

Exceptions to this are noted.

1. **DID YOU LEARN NEW WORDS** OR REMEMBER OTHER WORDS? WRITE THE WORDS FROM PAGE 66 UNDER THE CORRECT CATEGORY HEADINGS ON PAGE 65.

2. **TALK ABOUT** YOUR HOME, FRIENDS, PETS, CAR, SCHOOL, JOB, OFFICE, ETC. THE FOLLOWING QUESTIONS AND PHRASES MAY HELP.

- ¿Tienes animales?
- Sí, tengo....

¿Cómo se llaman tus amigos?

¿Cómo es tu casa? Describe tu casa, por favor.

¿Qué objetos tienes en tu bolsa? ¿Tienes llaves?
¿...dinero? ¿...plumas? ¿...sellos? ¿...?

¿ADÓNDE VAS?

1. Read the dialog between Leonardo and Miguel. Underline the forms of the verb **ir** (to go).

Miguel: Hola, Leonardo, ¿adónde vas?
Leonardo: Voy al gimnasio.
M: ¿Vas solo?
L: No, mi novia Elisa va también. Siempre vamos al gimnasio los viernes. Mis otros amigos prefieren salir. Y tú, ¿adónde vas ahora?
M: Voy al cine.
L: Yo nunca voy al cine. Prefiero ver Netflix en mi casa.
M: Yo voy al cine porque a mis amigos les gustan las películas de acción, y es divertido ver esas películas en el cine.
L: ¿Ustedes van a menudo?
M: Sí, vamos al cine casi todas las semanas. Pero a veces nos gusta ver películas en casa también.
L: Muy bien. ¡Diviértete!

2. Complete the verb chart with forms of **ir** (to go). Check your answers on page 100.

yo	voy
tú	vas
él/ella/usted	va
nosotros/nosotras	vamos
ellos/ellas/ustedes	van

3. Write the following adverbs of frequency in the right place on the line below.

siempre	**a veces**	**mucho**
no mucho	**nunca**	**casi nunca**
a menudo often	**casi siempre**	

muy frecuente siempre casi siempre mucho a menudo a veces

muy raro

Check your answers on page 100.

OTROS ADVERBIOS TEMPORALES – OTHER ADVERBS OF TIME

Todos los días – every day

Todas las semanas – every week

Todos los meses – every month

Un día sí y otro no – every other day

Dos/tres/cuatro veces por semana – two/three/four times a week

Cada tres/cuatro/cinco días – every three/four/five days

¡PRACTICA!

1. **ASK AND ANSWER** QUESTIONS WITH A SPEAKING PARTNER.

¿Vas...?

a) ¿...al gimnasio?
b) ¿... a restaurantes, o te gusta comer en casa?
c) ¿... al teatro?
d) ¿... al cine?
e) ¿... al parque?
f) ¿... al centro comercial o a las tiendas?
g) ¿... a museos?
h) ¿... a Starbucks? ¿... a otras cafeterías?

¿Y tus amigos? ¿Ellos van a estos lugares?

VOCABULARIO

LUGARES – PLACES

1. Match a word with its translation.

___ 1. banco		a. neighborhood
___ 2. supermercado		b. office
___ 3. oficina		c. restaurant
___ 4. correo		d. courthouse, court
___ 5. universidad (f.)*		e. mall, shopping center
___ 6. corte (f.)		f. museum
___ 7. vecindario, barrio		g. university, college
___ 8. escuela		h. supermarket
___ 9. parque		i. school
___ 10. museo		j. hospital
___ 11. teatro		k. gym
___ 12. cine		l. movie theater
___ 13. restaurante		m. church
___ 14. hospital		n. park
___ 15. gimnasio		o. town
___ 16. tienda		p. store, shop
___ 17. centro comercial		q. post office
___ 18. iglesia		r. theater
___ 19. ciudad (f.)*		s. city
___ 20. pueblo		t. bank

Respuestas: o s ɯ ǝ d ʞ ſ ɔ l ɹ ɟ u ı ɐ p ƃ b q ɥ ʇ

QUIZ AND BE QUIZZED!

¿Cómo se dice "vecindario" en inglés?
¿Cómo se dice "museum" en español?

"Neighborhood."
"Museo."

GRASPING GRAMMAR

*Words ending in **-dad** (along with those ending in **-a** and **-ión**) are are usually feminine.

GRASPING GRAMMAR

ARTÍCULOS DEFINIDOS E INDEFINIDOS

DEFINITE AND INDEFINITE ARTICLES

ARTÍCULOS DEFINIDOS

DEFINITE ARTICLES – SIMILAR TO ENGLISH **THE**

	SINGULAR	PLURAL
MASCULINO	el	los
FEMENINO	la	las

ARTÍCULOS INDEFINIDOS

INDEFINITE ARTICLES – SIMILAR TO ENGLISH
A/AN, **XXXX** (NO ARTICLE), OR **SOME**

	SINGULAR	PLURAL
MASCULINO	**un**	**XXXX** or **unos**
FEMENINO	**una**	**XXXX** or **unas**

EXAMPLES

- Mi gata se llama Twinkles. Es **una** gata muy gorda.
- Mi hermana tiene **un** carro nuevo.
- ¿Dónde está Juan? Está en **el** jardín.
- **Las** niñas de Marta son altas y bonitas.
- En mi sala hay dos mesas. Hay **una** mesa grande al lado d**el** sofá, y una mesa pequeña en frente de **la** ventana. Hay **XXXX** libros, cuadros, y sillas. **Unos** libros son de mi hijo, y otros son de mi esposo.

EXERCISE

Fill in the blanks with the right article. If you would use no article, write XXXX in the blank.

1) Hay ___ gato en la sala.
2) ___ teléfono de mi amigo es Samsung.
3) Tenemos ___ hija y dos hijos.
4) Hay ___ jardín muy bonito en mi casa.
5) ___ Presidente de los Estados Unidos vive en ___ Casa Blanca.
6) ¡Ustedes tienen ___ amigos interesantes!
7) ¿Tiene ___ foto reciente, por favor? También necesitamos ___ número de su pasaporte.
8) ___ revista GQ es ___ revista muy buena para hombres.
9) - ¿Te gusta ___ comida mexicana? - Me gustan ___ tacos, pero no me gustan ___ enchiladas.
10) Quiero comprar ___ perro para mis hijos, pero no sé cuál. Tenemos muchas opciones.

Check your answers on page 100.

¿DÓNDE QUEDA...? – WHERE IS?

1. Read Enrique and Marina's conversations with Jim. Enrique and Marina need directions.

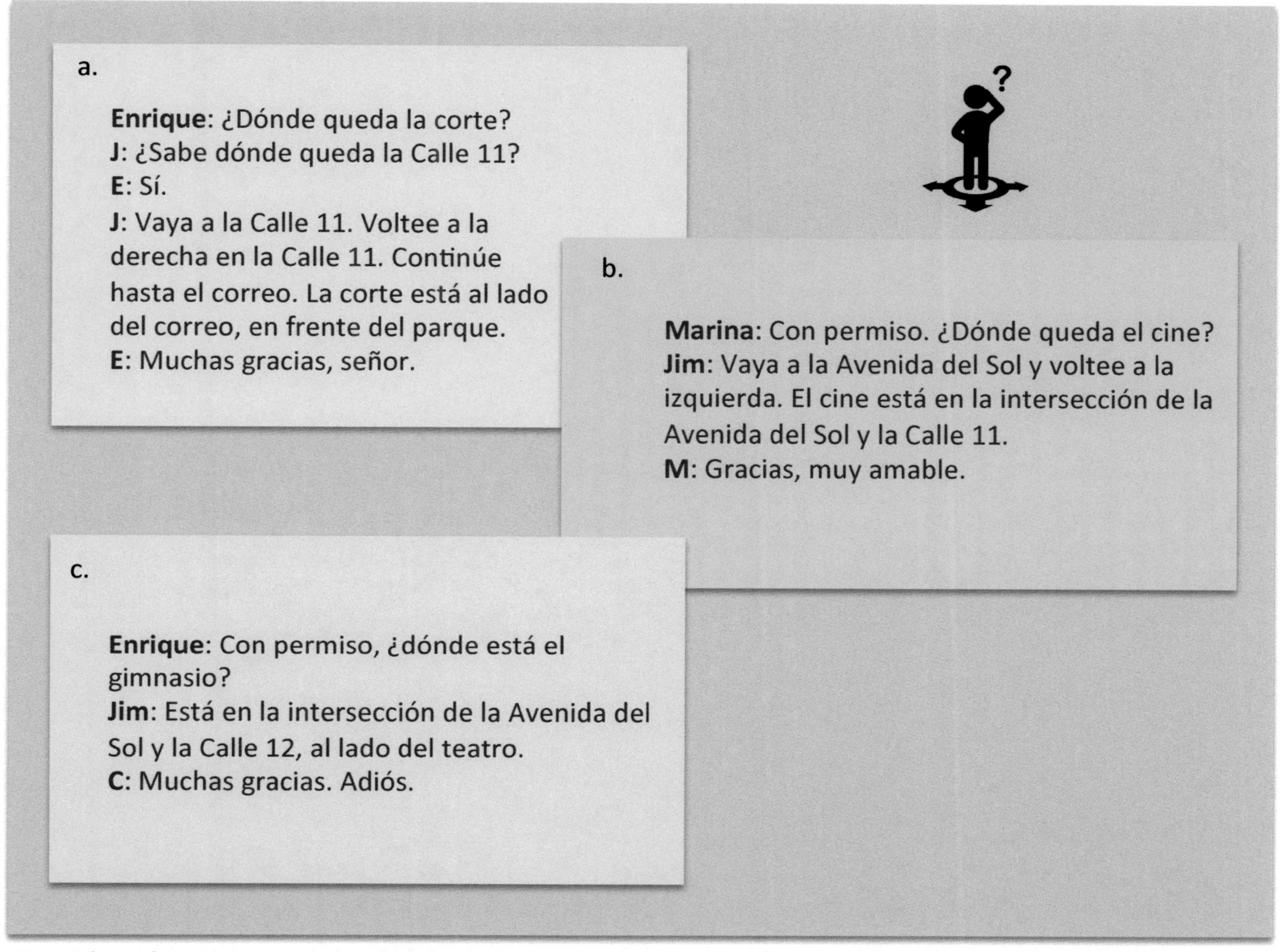

a.

Enrique: ¿Dónde queda la corte?
J: ¿Sabe dónde queda la Calle 11?
E: Sí.
J: Vaya a la Calle 11. Voltee a la derecha en la Calle 11. Continúe hasta el correo. La corte está al lado del correo, en frente del parque.
E: Muchas gracias, señor.

b.

Marina: Con permiso. ¿Dónde queda el cine?
Jim: Vaya a la Avenida del Sol y voltee a la izquierda. El cine está en la intersección de la Avenida del Sol y la Calle 11.
M: Gracias, muy amable.

c.

Enrique: Con permiso, ¿dónde está el gimnasio?
Jim: Está en la intersección de la Avenida del Sol y la Calle 12, al lado del teatro.
C: Muchas gracias. Adiós.

2. Look at the map. Read the dialogs again and write the names of the locations Marina and Carla are looking for, in the spaces on the map. Check your answers on p 100.

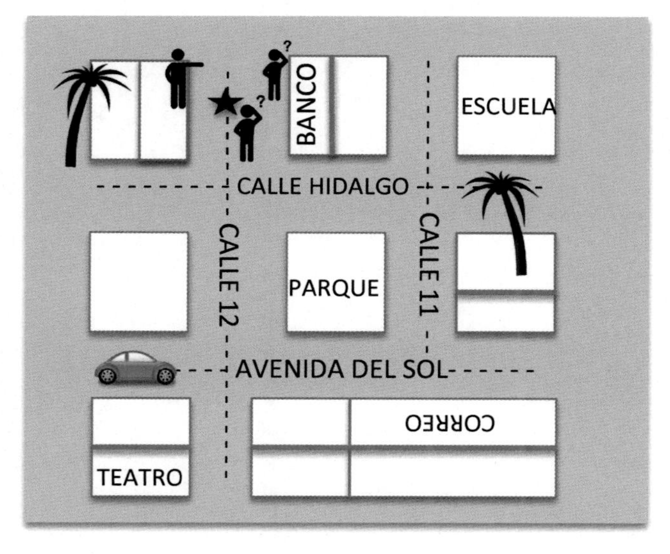

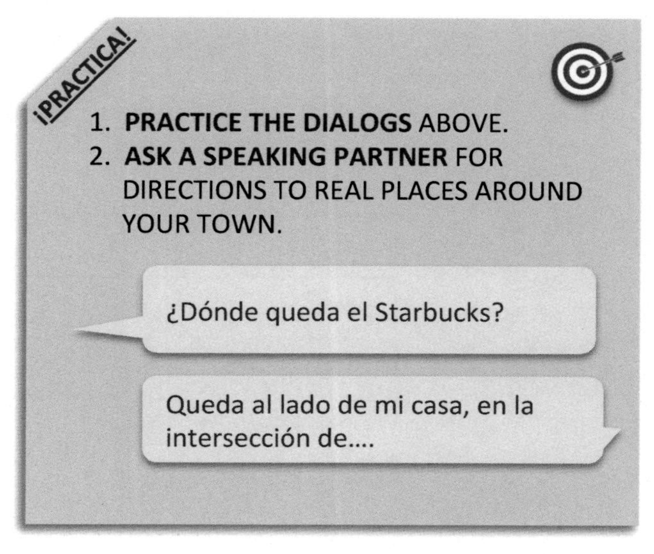

¡PRACTICA!
1. PRACTICE THE DIALOGS ABOVE.
2. ASK A SPEAKING PARTNER FOR DIRECTIONS TO REAL PLACES AROUND YOUR TOWN.
¿Dónde queda el Starbucks?
Queda al lado de mi casa, en la intersección de....

GRASPING GRAMMAR

SER VS. ESTAR

The verbs **ser** and **estar** both mean "to be." So, what is the difference?

NOUNS

We always use **ser** with noun objects:

- Soy maestra.
- Somos abogados.
- Illinois es un estado.
- Las rosas son flores.
- Él es mi abuelo.

ADJECTIVES

With adjectives, we must choose between **ser** and **estar**. As a general guideline, **ser** is used to describe characteristics that the speaker views as inherent or intrinsic.

Here are some uses of ser:

Describing intrinsic characteristics

- Mi hermana es rubia.
- Mi casa es grande.
- Los libros son interesantes.
- Somos ricos.
- El pastel es delicioso.

Expressing nationality

- Eres de Puerto Rico.
- Es francés.

Here are some uses of estar:

Talking about emotions

- Estoy enojado.
- ¿Por qué estás triste?
- Mis padres están contentos porque tienen una casa nueva.

Talking about location

- ¿Dónde está el baño?
- Las sillas están en la cocina.
- Estoy de vacaciones.

Use your intuition to complete the conjugations, and then check your answers on page 100.

	SER	ESTAR
yo	soy	
tú		estás
él/ella/usted	es	
nosotros/nosotras		estamos
ellos/ellas/ustedes		

SER VS. ESTAR

1. Complete the sentences with the correct form of **ser** or **estar**.

a. Yo __________ de Texas.

b. Mi familia ________ de vacaciones en México.

c. Los libros ________ de Pedro.

d. ¿Cuál ___ tu trabajo?

e. No voy al trabajo hoy porque _________ enfermo.

f. En general, mis hijos no _______ muy tímidos.

g. Mi hermanito siempre _______ conmigo. ______ muy buenos amigos.

h. ¿Ustedes ____ los padres de Nicky?

i. Hola, mucho gusto. Tú ________ muy bonita. ¿______ de los Estados Unidos, o ____ aquí como turista?

Respuestas: soy, está, son, es, estoy, son, está, Somos, son, eres, Eres, estás

¡PRACTICA!

1. **ASK AND ANSWER** QUESTIONS WITH A SPEAKING PARTNER.

a) ¿De dónde eres?
b) ¿Cuál es tu trabajo?/¿En qué trabajas?
c) ¿Cómo estás hoy?
d) ¿Dónde están tus amigos ahora?
e) ¿Dónde están tú y los otros estudiantes de clase ahora?
f) ¿Donde está tu maestro/a?
g) ¿Cómo es tu casa?
h) ¿Cómo es tu esposo/esposa/hermano/hermana/hijo/hija/amigo/amiga?
i) ¿Dónde está el correo?
j) ¿Dónde está tu oficina?
k) ¿Dónde están los baños en tu oficina? ¿En tu casa?
l) ¿Cuál es tu película/comida/música preferido/a? ¿Por qué?
m) ¿De dónde es Ricky Martin? ¿Speedy Gonzales? ¿Superman?

VOCABULARIO

ALGUNOS ADJETIVOS – SOME ADJECTIVES

1. Read these adjectives. Use the dictionary to look up any that you don't know.

malo/a	fantástico/a	
terrible	bueno/a	divertido/a
aburrido/a	feliz	frustrado/a
emocionado/a	rico/a	delicioso/a
chico/a	enorme	bonito/a
lindo/a	hermoso/a	guapo/a
grande	viejo/a	alto/a
joven	enojado/a	contento/a
cansado/a	enfermo/a	interesante

2. Answer the questions.

   a) ¿Cuáles adjetivos tienen una idea positiva? ¿Una idea negativa?

   b) ¿Cuáles adjetivos son para descripciones físicas? ¿...para descripciones de personalidad?

   c) ¿Cuáles adjetivos describen características consideradas inerentes o intrínsecas?

   d) ¿Cuáles adjetivos describen características consideradas temporáneas?

Check your answers on page 101.

¡PRACTICA!

1. **WITH A SPEAKING PARTNER,** ANSWER THE QUESTIONS TO DESCRIBE THE FOLLOWING.

¿Cómo es....?

a) ¿...un elefante?
b) ¿...tu casa/apartamento?
c) ¿...tu madre/padre/hermano/hermana/amigo(s)?
d) ¿...la película “Transformers”? ¿Otras películas?
e) ¿...el fútbol?
f) ¿...el fútbol americano?
g) ¿...Bill Gates?
h) ¿...tu carro?
i) ¿...la comida mexicana?

2. **WITH A SPEAKING PARTNER,** ANSWER THE FOLLOWING QUESTIONS.

a) ¿Cómo estás?
b) ¿Cómo están estas personas?

LET'S REVIEW!

¡PRACTICA!

1. **DESCRIBE** THE ROOM YOU ARE IN AND THE OBJECTS IN IT.
2. **DESCRIBE** YOUR HOUSE AND THE OBJECTS IN IT.
3. **DESCRIBE** YOUR OFFICE AND THE OBJECTS IN IT.
4. **ASK FOR AND GIVE DIRECTIONS** TO PLACES AROUND TOWN.
5. **SPEAK WITH A PARTNER** ABOUT YOUR FAVORITE HANGOUTS.
   ¿Vas al gimnasio mucho? ¿Vas a la iglesia? ¿Vas a restaurantes? etc....

IR – TO GO

1. Write the forms of **ir**:

yo	voy
tú	______
él/ella/usted	______
nosotros/as	______
ellos/ellas/ustedes	______

SER and ESTAR – TO BE

1. Complete the sentences with **ser** or **estar**.

a. We use ______ to speak about nationality and other characteristics we view as permanent.
b. We use ______ to speak about locations and states we view as temporary, such as feelings.

2. Write the forms of **ser** and **estar**:

yo	soy	______
tú	______	______
él/ella/usted	______	está
nosotros/as	______	______
ellos/ellas/ustedes	______	______

Check your answers on page 101.

I CAN DO IT IN SPANISH!

CHECK YOUR PROGRESS!

After Sección 8, I can:

- ☐ **Identify and speak about everyday objects**
- ☐ **Get around town**
- ☐ **Talk about movement**
- ☐ **Ask for and give directions**
- ☐ **Describe characteristics viewed as intrinsic or inherent, as well as locations and feelings**

¡MUY BIEN!

Sección 9

MOMENTOS

MOMENTS

Talk about time, weather, and special occasions

Fast Functions – By the end of this section, I will be able to:

TELL AND ASK FOR THE TIME • SPEAK ABOUT DAYS, MONTHS AND SEASONS • ASK ABOUT WEATHER • DESCRIBE WEATHER CONDITIONS • SPEAK ABOUT HOLIDAYS AND SPECIAL OCCASIONS

1. Read the conversation about time.

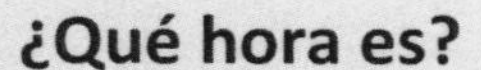

Son las cuatro y media.

2. Read the following conversations about time.

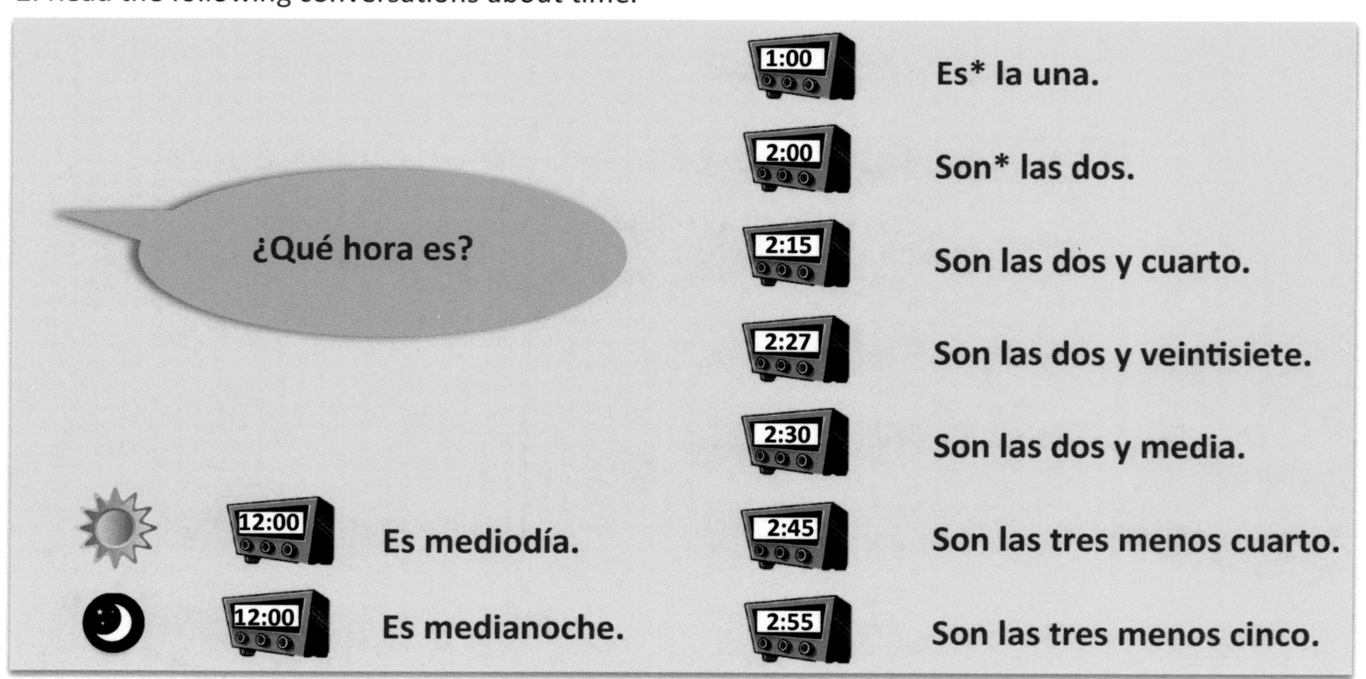

¿Qué hora es?
1:00
Es* la una.
2:00
Son* las dos.
2:15
Son las dos y cuarto.
2:27
Son las dos y veintisiete.
2:30
Son las dos y media.
12:00
Es mediodía.
2:45
Son las tres menos cuarto.
12:00
Es medianoche.
2:55
Son las tres menos cinco.

¿QUÉ HORA ES? – WHAT TIME IS IT?

1. Look at the following clocks. Write a sentence beneath each, expressing what time it is, en español.

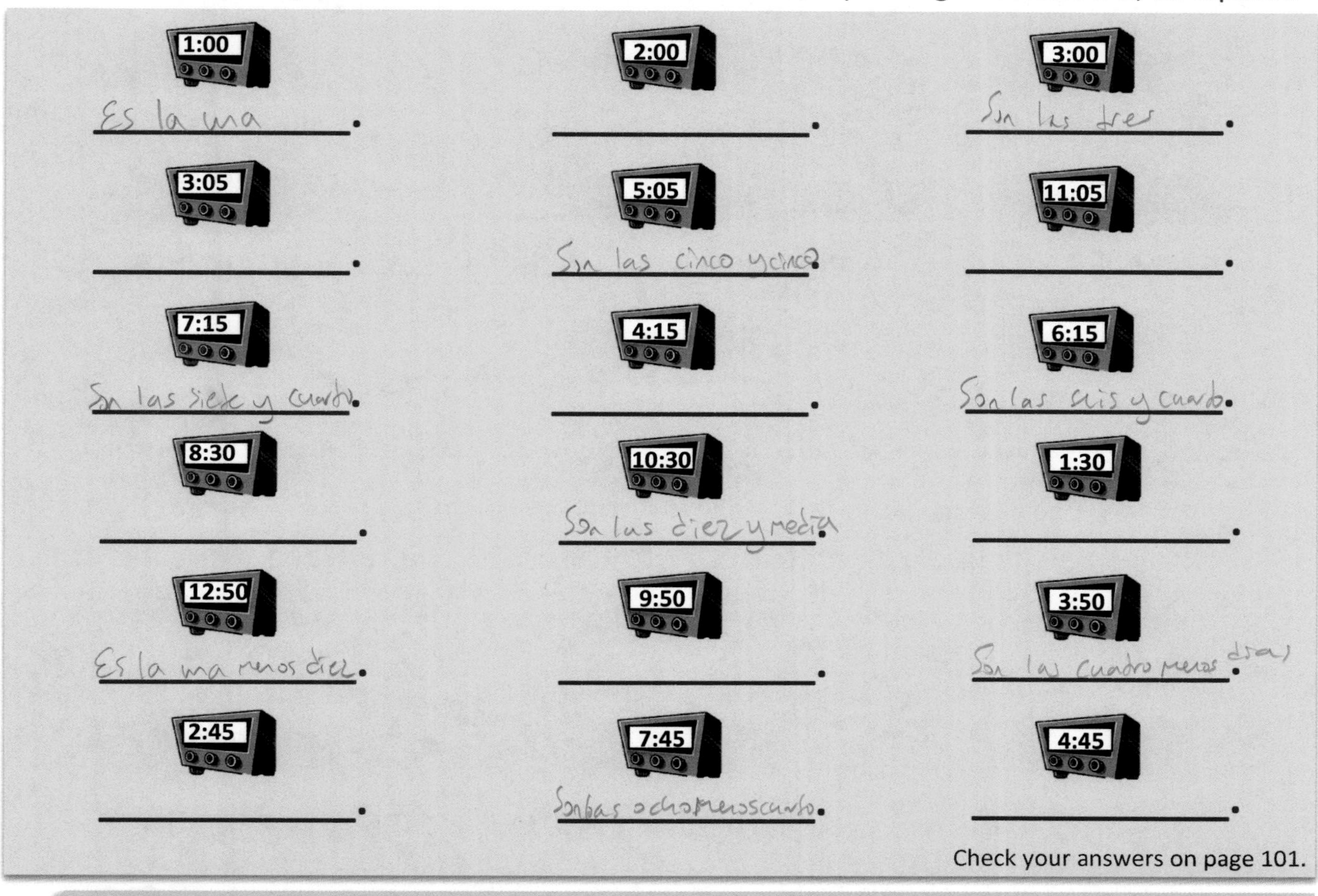

Check your answers on page 101.

¡PRACTICA!

1. **ASK AND ANSWER** QUESTIONS WITH A SPEAKING PARTNER.

   ¿Qué hora es ahora?
   ¿A qué hora** estudias español?
   ¿A qué hora almuerzas? ¿A qué hora cenas?
   ¿A qué hora vas al trabajo por la mañana? ¿A qué hora terminas el trabajo?

2. **DRAW** CLOCKS ON A SHEET OF PAPER. ASK FOR AND TELL TIME.

SPANISH CAN BE SNEAKY!

* **¿Qué hora es?** – Notice in standard Spanish, we always use **es** in the question.
¿Qué horas son? – This is not standard Spanish, but rather is considered slang.
Son las tres. – We use **son** in the answer, except for with **Es la una, Es mediodía, and Es medianoche.**

** **¿A qué hora...?** – We add "a" at the beginning of the questions to indicate a start or end time. ("At what time is something?")

LAS ESTACIONES – THE SEASONS

1. Read the names of the four seasons en español.

verano **otoño** **invierno** **primavera**

LOS MESES – THE MONTHS

2. Read the names of the twelve months of the year. Notice they are not capitalized en español.

enero febrero marzo abril mayo junio julio agosto
septiembre octubre noviembre diciembre

¡PRACTICA!

PRACTICE WITH A SPEAKING PARTNER. ¿Cuándo es tu cumpleaños? ¿...el cumpleaños de tu esposo/esposa/novio/novia/padres? ¿Cuáles son los meses de verano en Nueva York? ¿...de otoño? ¿...de primavera? ¿...de invierno? ¿...y en Texas? ¿...en California? ¿...en tu estado o tu país?

LOS DÍAS DE LA SEMANA – THE DAYS OF THE WEEK

3. Read the names of the seven days of the week. Notice they are not capitalized en español.

lunes martes miércoles jueves viernes sábado domingo

PRACTICE WITH A SPEAKING PARTNER. ¿Cuáles son los días del fin de semana? ¿Cuáles días vas al trabajo? ¿Cuándo estudias español? En general, ¿qué haces viernes y sábado por la noche? ¿En qué día es tu programa de televisión preferido?

LAS ETAPAS DEL DÍA – THE PARTS OF THE DAY

4. Read the names of the parts of the day.

la mañana el día la tarde la noche

PRACTICE WITH A SPEAKING PARTNER. En general, ¿en cuál etapa del día duermen las personas? ¿Cuándo vas al trabajo? ¿Cuándo van los niños a sus casas después de la escuela? ¿Cuándo te preparas para el trabajo?

¿QUÉ TIEMPO HACE? – WHAT'S THE WEATHER LIKE?

1. Match a picture with a statement about the weather. There is more than one possibility for most.

Hace frío.
Hace calor.
Hace sol.
Hace buen tiempo.
Hace mal tiempo.
Hace viento.
Está lloviendo.
Está nevando.
Está nublado.
Es un día bonito.
Hay una brisa.
a.
b.
c.
d.
e.
f.
g.
h.
i.
j.
k.
Check your answers on page 101. Check vocabulary on page 108.

¡PRACTICA!

1. **ASK AND ANSWER** QUESTIONS WITH A SPEAKING PARTNER.

a) ¿Qué tiempo hace hoy?

b) En general, ¿qué tiempo hace en tu ciudad en enero? ¿en febrero? ¿marzo? ¿abril? ¿mayo? ¿junio? ¿julio? ¿agosto? ¿septiembre? ¿octubre? ¿noviembre? ¿diciembre?

c) En general, ¿qué tiempo hace en Rusia en invierno? ¿En Italia en primavera? ¿En Londres en otoño? etc....

DÍAS DE FIESTA Y OCASIONES ESPECIALES – SPECIAL OCCASIONS AND HOLIDAYS

1. Match the name of the holiday or special occasion with the corresponding picture.

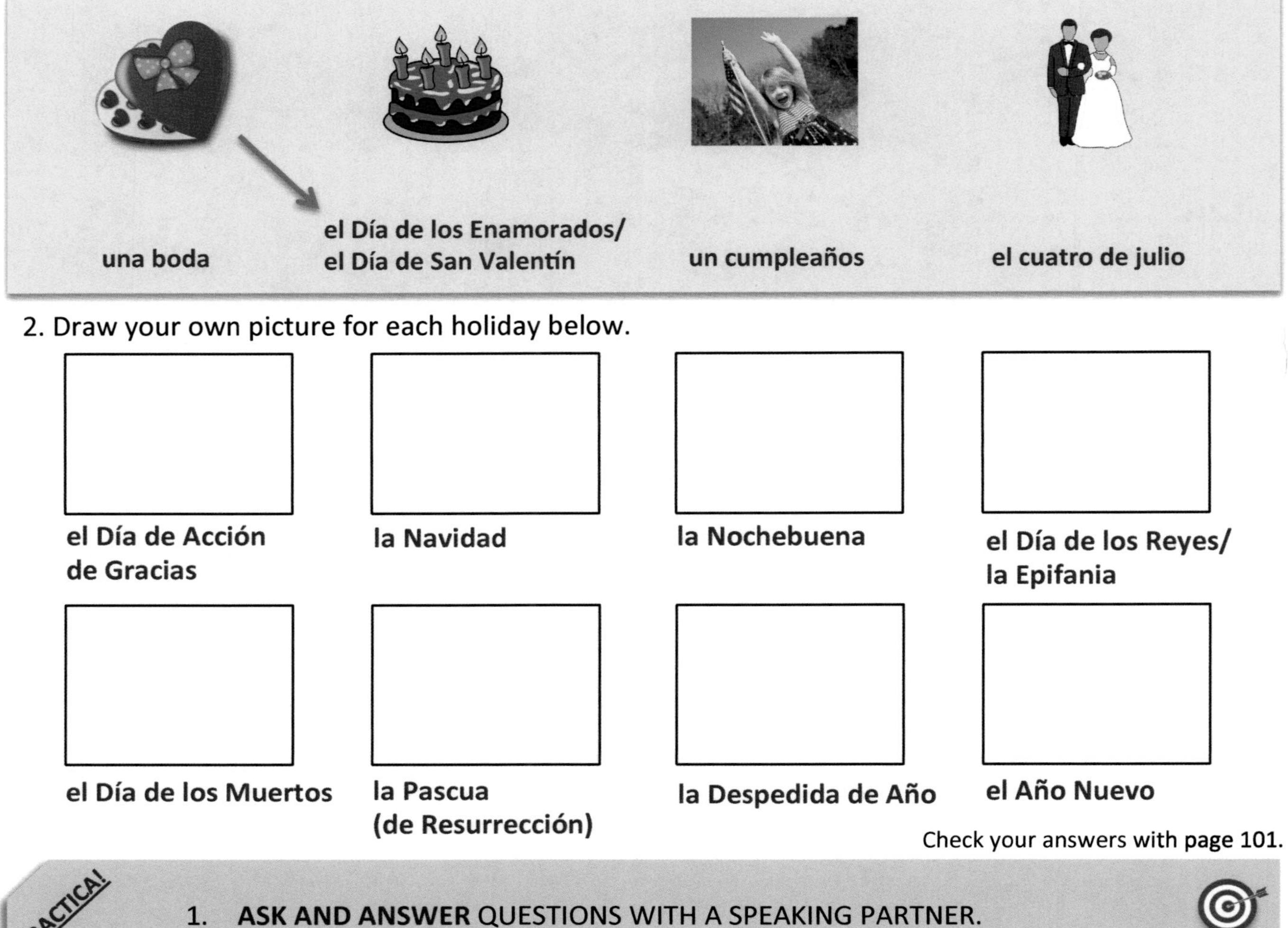

Check your answers with **page 101**.

¡PRACTICA!

1. **ASK AND ANSWER** QUESTIONS WITH A SPEAKING PARTNER.

   a) ¿En qué meses son estos días de fiesta?
   b) ¿Cómo celebras estos días?
   c) ¿Celebras otros días de fiesta diferentes?

LET'S REVIEW!

a) ¿Qué hora es?
b) ¿Qué día es hoy?
c) ¿En qué mes estamos?
d) ¿En qué estación?
e) ¿Qué tiempo hace hoy?

I CAN DO IT IN SPANISH!

CHECK YOUR PROGRESS!

After Sección 9, I can:

- [ ] **Tell and ask for the time**
- [ ] **Speak about days, months, and seasons**
- [ ] **Ask about the weather**
- [ ] **Describe weather conditions**
- [ ] **Speak about holidays and special occasions**

¡MUY BIEN!

Sección 10

COSTUMBRES Y TRADICIONES

CUSTOMS AND TRADITIONS

Talk about habits and lifestyles

Fast Functions – By the end of this section, I will be able to:

SPEAK ABOUT MY PRESENT HABITS AND OTHERS' HABITS • SPEAK ABOUT CUSTOMS IN DIFFERENT CULTURES • READ AND WRITE DESCRIPTIONS OF DIFFERENT CULTURES AND HABITS • USE NUMBERS 100-1,000,000 • EXPRESS CAUSE AND PURPOSE (POR VS. PARA)

1. Read about Esteban's life and culture.

Me llamo Esteban. Soy de Puerto Rico y **vivo** en San Juan con mi familia. **Vivimos** en un apartamento cerca del centro. En nuestro tiempo libre, nos gusta ir a la playa. ¡Hay muchas playas bonitas en nuestra isla! Después de la playa, a veces **comemos** comida típica, pero a veces **comemos** en restaurantes americanos. Puerto Rico es un territorio americano, pero las personas **hablan** español. Mi esposa Mayra **habla** español e inglés porque trabaja en la industria turística. Mis padres son de otra generación, y no **hablan** inglés para nada.

2. Underline all the verbs in the text. Which verbs and their forms look familiar? Which seem new?

3. The verbs in bold in the text have been inserted into the chart below. Can you fill in the other forms?

	HABLAR	COMER	VIVIR
yo	________	________	vivo
tú	________	________	________
él/ella/usted	habla	________	________
nosotros/nosotras	________	comemos	vivimos
ellos/ellas/ustedes	hablan	________	________

Check your answers on p 101, or on the next page.

GRASPING GRAMMAR

EL PRESENTE SIMPLE – THE PRESENT SIMPLE

1. Read the forms (conjugations) for these three regular verbs in the present tense. The underlined part of each verb form is called the ending. The part that is not underlined is called the stem. Regular verbs follow a regular, predictable stem + ending pattern. Verbs ending in **-ar**, **-er**, and **-ir** each have their own set of endings.

	HABLAR (TO TALK, TO SPEAK)
yo (I)	**hablo**
tú (you - informal)	**hablas**
él/ella/usted (he/she/you, formal)	**habla**
nosotros/as (we)	**hablamos**
ellos/ellas (they) **ustedes** (y'all)	**hablan**

Some other regular **-ar** verbs (verbs ending in **-ar** which follow the same conjugation pattern as **hablar**) are:

trabajar, comprar, manejar, apreciar

and many more. You can use a Spanish grammar to look up more complete lists of regular **-ar** verbs.

	COMER (TO EAT)
yo (I)	**como**
tú (you - informal)	**comes**
él/ella/usted (he/she/you, formal)	**come**
nosotros/as (we)	**comemos**
ellos/ellas (they) **ustedes** (y'all)	**comen**

Some other regular **-er** verbs (verbs ending in **-er** which follow the same conjugation pattern as **comer**) are:

beber, correr, vender

and many more. You can use a Spanish grammar to look up more complete lists of regular **-er** verbs.

	VIVIR (TO LIVE)
yo (I)	**vivo**
tú (you - informal)	**vives**
él/ella/usted (he/she/you, formal)	**vive**
nosotros/as (we)	**vivimos**
ellos/ellas (they) **ustedes** (y'all)	**viven**

Some other regular **-ir** verbs (verbs ending in **-ir** which follow the same conjugation pattern as **vivir**) are:

escribir, abrir, decidir

and many more. You can use a Spanish grammar to look up more complete lists of regular **-ir** verbs.

2. We use the **presente simple** (**present simple**) verb tense to talk about present states, habits, customs, routines and facts.

¡PRACTICA!

1. **ASK AND ANSWER** QUESTIONS WITH A SPEAKING PARTNER.

a) ¿Dónde trabajas? Y tus padres/amigos/esposo/esposa, ¿dónde trabajan?
b) ¿Qué tipo de carro manejas? ¿Y tus padres/amigos/esposo/esposa?
c) ¿En qué supermercado compras tu comida? ¿Y tus padres/amigos/esposo/esposa?
d) ¿Bebes vino, o prefieres cerveza? ¿Bebes mucha agua? ¿Coca-Cola? ¿Café?
e) ¿Qué venden en las farmacias? ¿En las boutiques? ¿En Amazon.com?
f) ¿Escribes muchos e-mails? ¿A quién le escribes? ¿Y tus padres/amigos/esposo/esposa?

TRES CULTURAS

1. Read about the three cultures that Mayra, Esteban's wife, is familiar with.

Me llamo Mayra y soy de Puerto Rico. Vivo en Puerto Rico, pero tengo mucha experiencia con diferentes culturas porque soy gerente en una compañía en el sector turístico. Viajo mucho para mi trabajo, especialmente a los Estados Unidos. También tengo muchos amigos en España, y mi esposo y yo viajamos a Madrid todos los veranos.

Hay muchas diferencias entre la cultura puertorriqueña, la cultura estadounidense, y la cultura española. Por ejemplo, en España en las áreas urbanas, las familias viven en apartamentos, como en Nueva York. En la mayoría de las ciudades americanas, muchas personas viven en casas con patios o jardines grandes. Otra diferencia es que muchas casas en Puerto Rico y en España no tienen aire acondicionado central – las personas dejan las ventanas abiertas. En los Estados Unidos muchas casas son nuevas, y casi todas las casas tienen aire acondicionado central.

La dinámica de la familia también es diferente en estos tres lugares. En España y en Puerto Rico, muchos jóvenes viven con su familia. En Estados Unidos los jóvenes van a la universidad y viven en apartamentos o residencias universitarias cuando tienen solo dieciocho años.

Puerto Rico es parte de los Estados Unidos, y por eso hay influencia americana. Los puertorriqueños usan el dólar americano, y muchas personas trabajan en compañías americanas, especialmente en San Juan.

A pesar de la influencia norteamericana en Puerto Rico, los puertorriqueños tienen una identidad caribeña muy fuerte. Las personas comen comida típica, hablan español, y escuchan música puertorriqueña tradicional y moderna. A mi esposo le gusta el reggaetón, pero yo prefiero la música típica. Mi cantante preferido es Tony Croatto, y en mi tiempo libre, me gusta escuchar sus canciones en mi iPod.

Las actividades de tiempo libre también son diferentes en los Estados Unidos, en España, y en Puerto Rico. Algunos americanos no tienen mucho tiempo para salir. Trabajan mucho y toman vacaciones cortas. Generalmente los americanos solo toman dos semanas de vacaciones al año. En España las vacaciones son más largas – de un mes o más, a veces.

En España y en Puerto Rico, muchas personas van a la playa en el verano, y comen y beben en restaurantes con sus amigos y con su familia. Los españoles generalmente comen muy tarde, y los jóvenes salen con los amigos después de comer. Cuando estamos en España, ¡a veces mi esposo y yo salimos hasta las seis de la mañana con nuestros amigos!

Las tres culturas tienen aspectos muy interesantes, y para mí es importante apreciar estas diferencias. Me gusta mucho aprender sobre los diferentes estilos de vida.

1. Fill in the grid with information from the text. Write bullet points, not sentences.

	PUERTO RICO	ESPAÑA	LOS ESTADOS UNIDOS
CASAS (vivir, tener)			
TRABAJO/DINERO (trabajar, comprar)			
VACACIONES (ir de vacaciones, tomar vacaciones)			
TIEMPO LIBRE (gustar, beber, comer, salir, escuchar música)			
OTRAS COSAS			

Check your answers on page 101.

¡PRACTICA!

1. **USE THE INFORMATION** FROM THE GRID ABOVE TO SPEAK ABOUT THESE DIFFERENT CULTURES. YOU CAN MAKE SENTENCES WITH THE VERBS IN PARENTHESES AND OTHER VERBS.

2. **FILL IN THE GRID** BELOW WITH INFORMATION ABOUT YOU, YOUR FAMILY, FRIENDS, AMERICAN CULTURE, AND ANOTHER CULTURE YOU ARE FAMILIAR WITH. USE THE GRID TO TALK WITH A SPEAKING PARTNER.

	YO	MI FAMILIA	MIS AMIGOS	LOS AMERICANOS	OTRA CULTURA ________
CASAS (vivir, tener)					
TRABAJO/ DINERO (trabajar, comprar)					
VACACIONES (ir de vacaciones, tomar vacaciones)					
TIEMPO LIBRE (gustar, beber, comer, salir, escuchar música)					
OTRAS COSAS					

GRASPING GRAMMAR

POR VS. PARA

The prepositions **por** and **para** can both mean "for" at times. So, what *is* the difference?

POR

We usually use **por** to talk about **cause, method**, or **means**. It can often be loosely translated as "because of," "by way of," "through the means of," or "on behalf of."

- Puerto Rico es parte de los Estados Unidos, y **por** eso tiene influencia americana.
- **Por** ejemplo, en España en las áreas urbanas....
- Él es muy romántico. Hace todo **por** amor.
- Prefiero el otro supermercado, porque compro más **por** menos dinero.
- Vamos **por** esa calle.
- El abogado firma **por** sus clientes.

- Puerto Rico is part of the U.S., and for (**because of**) this, it has American influence.
- For (**by way of**) example, in Spain in urban areas....
- He is very romantic. He does everything for (**because of**) love.
- I prefer the other supermarket, because I buy more for (**the means of**) less money.
- Let's go through (**the means of**) that street.
- The lawyer signs for (**on behalf of**) his clients.

PARA

We usually use **para** to talk about **purpose**, **end goal**, or **destination**. It can often be loosely translated as "to," "in order to," "by the deadline of," "for the purpose of," or "destined for."

- Algunos americanos no tienen mucho tiempo **para** salir.
- Necesito ese reporte de ventas **para** el miércoles.
- Mañana vamos **para** Londres.
- Quiero comprar muchas cosas **para** la fiesta – bebidas **para** los adultos, y juegos **para** los niños.
- **Para** aprender español, necesitas practicar.

- Some Americans don't have a lot of time to go (**for the purpose of** going) out.
- I need that sales report by (**by the deadline of**) tomorrow.
- Tomorrow we are going to (**the destination of**) London.
- I want to buy a lot of things for (**for the purpose of**) the party – drinks for (**destined for**) the adults, and games for (**destined for**) the children.
- **In order to** learn Spanish, you need to practice.

NOTES

Por and **para** can also have idiomatic uses:

para mí – in my opinion
por ahí – around there
¡Por Dios! – For God's sake!

Por or **para + a person** can be a little tricky:

El hace todo **por** sus niños. – He does everything for his children. (Motivated by his love, or on their behalf).

El hace todo **para** sus niños. – He does everything for his children. (As a favor to his children, or in order to make them happy).

NÚMEROS 100-1,000,000

1. Match the numerals and the words. Check your answers on page 101, then quiz yourself or a partner.

100 SETECIENTOS 500 300

CIEN TRESCIENTOS

DOSCIENTOS 200

700 SEISCIENTOS NOVECIENTOS

800

CUATROCIENTOS 1000 MIL

400

600 QUINIENTOS 900 OCHOCIENTOS

2. Match the numerals and the words. Check your answers on page 101, then quiz yourself or a partner.

761 SETECIENTOS SESENTA Y UNO 60,094 TRESCIENTOS OCHENTA Y SEIS 386

SESENTA MIL NOVENTA Y CUATRO

CUATROCIENTOS CINCO

1,233

CIENTO VEINTICINCO

405 MIL DOSCIENTOS TREINTA Y TRES

125

DOSCIENTOS TREINTA Y TRES

5,853 NOVECIENTOS SETENTA Y SEIS

233

976 CINCO MIL OCHOCIENTOS CINCUENTA Y TRES 565 QUINIENTOS SESENTA Y CINCO

¡PRACTICA!

1. **ASK AND ANSWER** QUESTIONS WITH A SPEAKING PARTNER.
   a) ¿En qué año estamos?
   b) ¿Cuántos días hay en un año?
   c) ¿Cuánto cuesta un carro usado? ¿...un carro nuevo? ¿...una casa?
2. **PRACTICE SAYING** THESE NUMBERS OUT LOUD:

   1,000 345 689 6,324 20,000 20,536 130 566 4,523
3. **WRITE** TEN NUMBERS BETWEEN 100 AND 100,000. READ THEM ALOUD AND HAVE YOUR PARTNER WRITE THEM. CHANGE ROLES.

LET'S REVIEW!

PRESENTE SIMPLE – PRESENT SIMPLE
VERBOS IRREGULARES Y REGULARES – IRREGULAR AND REGULAR VERBS

a) We use the **present simple** verb tense to speak about **habits**, **customs**, **routines**, **states**, and **facts** in the present.

b) Some verbs in the **present simple** tense (and in almost all verb tenses in Spanish) are **irregular**. This means their conjugations have unique forms that you must memorize. Examples of **irregular verbs in the present** are: **ser**, **estar**, **tener**, **hacer**, and **ir.** These are just some examples – there are many more. You can use a Spanish grammar to look up more complete lists.

c) Other verbs are **regular**. This means many verbs in the same category follow the same pattern, which is formed by a common stem and a series of endings. The categories of regular verbs in Spanish are **-ar verbs** (regular verbs ending in the letters **-ar**), **-er verbs**, and **-ir verbs**. There are examples of **regular verbs in the present** on page 86. These are just some examples – there are are many more. You can use a Spanish grammar to look up more complete lists.

NÚMEROS – NUMBERS

1. Count from 100 to 1,000* by the hundreds: **cien, doscientos, trescientos**, etc.
2. Count from 1,000 to 20,000 by the thousands: **mil, dos mil, tres mil**, etc.
3. Count from 100,000 to 1,000,000 by the hundred-thousands: **cien mil, doscientos mil, trescientos mil**, etc. to **un millón**.
4. Write some large numbers that contain a variety of numerals (for example, 1,233 or 679,201), and practice saying them out loud.

SPANISH CAN BE SNEAKY!

* In some countries including Spain, the thousands place is marked by a period, not a comma – one thousand is shown as 1.000, four-thousand five-hundred is 4.500, and so on. In other countries including Mexico, commas are used – 1,000, 4,500, and so on.

I CAN DO IT IN SPANISH!

CHECK YOUR PROGRESS!

After Sección 10, I can:

- ☐ **Speak about my present habits and the habits of others**
- ☐ **Speak about customs in different cultures**
- ☐ **Read and write descriptions of different cultures and their customs**
- ☐ **Use numbers 100-1,000,000**
- ☐ **Express cause and purpose**

¡MUY BIEN!

I DID IT IN SPANISH!

FINAL FUNCTIONS

At the end of this **Beginner Spanish** level, I can:

1. ☐ Introduce myself to others
2. ☐ Ask others questions about themselves
3. ☐ Count from 0 - 20 and use numbers
4. ☐ Talk about jobs and hobbies
5. ☐ Greet others appropriately
6. ☐ Exchange contact information
7. ☐ Spell words using the Spanish alphabet
8. ☐ Count to 100
9. ☐ Use numbers
10. ☐ Talk about the people in my life
11. ☐ Ask questions about others
12. ☐ Address someone formally
13. ☐ Describe friends, family and coworkers
14. ☐ Read about others
15. ☐ Identify and speak about food
16. ☐ Express my likes and dislikes
17. ☐ Order food in a restaurant
18. ☐ Go shopping and interact with store employees
19. ☐ Buy things
20. ☐ Speak about the house and office
21. ☐ Locate objects and places
22. ☐ Check in at a hotel
23. ☐ Identify places around town
24. ☐ Ask for directions
25. ☐ Give directions

¡EXCELENTE!

I DID IT IN SPANISH!

FINAL FUNCTIONS

At the end of this **Beginner Spanish** level, I can:

- **26** ☐ Introduce myself at length, ask others questions
- **27** ☐ Keep conversations going
- **28** ☐ Make "small talk"
- **29** ☐ Speak about important areas of life
- **30** ☐ Write about myself at length
- **31** ☐ Speak about groups (plural)
- **32** ☐ Address groups of people
- **33** ☐ Ask questions about groups
- **34** ☐ Give details of groups in my life, such as friends and family
- **35** ☐ Read about others' friends and families
- **36** ☐ Identify and speak about everyday objects
- **37** ☐ Get around town
- **38** ☐ Talk about going places
- **39** ☐ Ask for and give directions
- **40** ☐ Describe permanent states, locations, and feelings
- **41** ☐ Tell and ask for the time
- **42** ☐ Speak about days, months and seasons
- **43** ☐ Ask about the weather
- **44** ☐ Describe weather conditions
- **45** ☐ Speak about holidays and special occasions
- **46** ☐ Speak about my present habits and others' habits
- **47** ☐ Speak about customs in different cultures
- **48** ☐ Read and write cultural descriptions
- **49** ☐ Use numbers 100-1,000,000
- **50** ☐ Express cause and purpose

¡EXCELENTE!

I WILL DO MORE IN SPANISH!

NEXT STEPS – INTERMEDIATE AND BEYOND

Congratulations on completing your **Beginner** level! Keep your Spanish going with Functionally Fluent!'s next level, **Intermediate – Further Functions**. After Intermediate, move on to Advanced and become ***functionally fluent!***™

Here's a preview of the 50 functions you'll learn to **do in Spanish** at the **Intermediate** level.

FUNCTIONALLY FLUENT!'S INTERMEDIATE LEVEL – FURTHER FUNCTIONS

You will learn to:

1. ☐ Share important details of your life
2. ☐ Ask others about their lives
3. ☐ Speak about a variety of topics
4. ☐ Describe present states, habits, and facts
5. ☐ Expand initial conversations
6. ☐ Describe your typical day
7. ☐ Describe others' typical day
8. ☐ Use question words
9. ☐ Interview others on various topics
10. ☐ Describe actions happening now
11. ☐ Talk about past events in your life
12. ☐ Talk about past events in others' lives
13. ☐ Tell stories in the past
14. ☐ Pinpoint events in the past, using adverbs
15. ☐ Use object pronouns
16. ☐ Describe your past activities, states, routines
17. ☐ Describe others' activities, states, routines
18. ☐ Share childhood memories
19. ☐ Read about others' memories
20. ☐ Situate activities in past periods, with adverbs
21. ☐ Talk about your plans
22. ☐ Talk about your goals and aspirations
23. ☐ Talk about others' plans, goals, aspirations
24. ☐ Read about the future
25. ☐ Make predictions
26. ☐ Expand on information about your life
27. ☐ Ask others for more detail
28. ☐ Expand vocabulary
29. ☐ Use double object pronouns
30. ☐ Contrast past, present and future time
31. ☐ Expand work vocabulary
32. ☐ Read about others' jobs
33. ☐ Speak about your own job
34. ☐ Express obligation, permission, desire
35. ☐ Compare and contrast
36. ☐ Speak about work habits
37. ☐ Read about others' habits
38. ☐ Contrast habits and actions in progress
39. ☐ Speak about children's activities
40. ☐ Speak about actions in progress
41. ☐ Read about others' former jobs
42. ☐ Speak about your work history
43. ☐ Report past events
44. ☐ Describe past habits and situations
45. ☐ Contrast past habits and events
46. ☐ Speak about future intentions
47. ☐ Express wishes
48. ☐ Make promises
49. ☐ Speak about imaginary situations
50. ☐ Express desires and polite requests

At the Intermediate level, you will learn to express yourself in **past, present** and **future** tenses. Your vocabulary will expand to help you speak about ***all*** areas of life, with an increasing focus on travel-related and work-related Spanish.

Each Functionally Fluent!™ level teaches at least fifty functions, so after all three levels you'll be able to **do 150 things in Spanish**, and you will be **functionally fluent!**™

¡HASTA PRONTO!

RESPUESTAS – ANSWER KEY

P 2

0-cero, 1-uno, 2-dos, 3-tres, 4-cuatro, 5-cinco, 6-seis, 7-siete, 8-ocho, 9-nueve, 10-diez

P 5

salir con los amigos – go out with friends
leer – read
correr – run, jog
viajar – travel
oír musica – listen to music
ir de compras – go shopping
ir al cine – go to the movies
ver televisión – watch TV
jugar baloncesto/básquetbol – play basketball
dormir – sleep
jugar fútbol americano – play football
montar bicicleta – ride a bike
tocar guitarra – play guitar
ir a fiestas – go to parties
jugar con los niños – play with the kids
jugar golf – play golf
bailar – dance
nadar – swim
jugar fútbol – play soccer

P 7

1b, 2d, 3a, 4e, 5c

P 8

11-once, 12-doce, 13-trece, 14-catorce, 15-quince, 16-dieciséis/diez y seis, 17-diecisiete/diez y siete, 18-dieciocho/diez y ocho, 19-diecinueve/diez y nueve, 20-veinte

P 9

	MIKE	DEBORAH
ORIGEN	San Antonio	Houston
TRABAJO	asistente legal	abogada
TIEMPO LIBRE	ir al cine	leer, ir al cine

P 11

1) A- ah, B- beh, C- sseh, Ch- cheh, D- deh, E- eh, F- eh-feh, G- heh, H- ah-cheh, I- ee, H- hoh-tah, K- kah, L- eleh, M- emeh, N- eneh, Ñ- enyeh, O- oh, P- peh, Q- kooh, R- ereh, Rr- erreh, S- esseh, T- teh, U- ooh, V- veh, W- do-bleh-ooh, X- eh-kees, Y- yeh (or ee-grye-gah), Z- sse-tah

P 12

- Draw a circle around Ch, Ll, Ñ, and Rr. These are not in the English alphabet.
- Draw a square around F, L, Ll, M, N, Ñ, R, Rr, S. These are pronounced "efe", "ele", etc.
- Draw a triangle around H (pronounced "ah-cheh"), J (pronounced "hoh-tah"), K (pronounced "kah"), Q (pronounced "kooh"), W (pronounced "dobleh-ooh"), X (pronounced "eh-keess"), Y (pronounced "ee-gryeh-gah") and Z (pronounced "sseta").
- The most common sound when you read the Spanish alphabet aloud is "eh". When in doubt, you can reasonably guess that the name of a letter will rhyme with "eh," besides the exceptions above. (Examples of the simple "eh" pattern are B – "beh", C – "sseh", D – "deh", etc.)

P 13

10-diez, 20-veinte, 30-treinta, 40-cuarenta, 50-cincuenta, 60-sesenta, 70-setenta, 80-ochenta, 90-noventa, 100-cien
23-veintitrés, 32-treinta y dos, 49-cuarenta y nueve, 58-cincuenta y ocho, 61-sesenta y uno, 71-setenta y uno, 85-ochenta y cinco, 96-noventa y seis
The last two letters of most numbers are "ta." The exceptions are "veinte" (which ends in "te"), and "cien."

P 14

¿Cuál es tu número de teléfono? Es 555-832-8689.
¿Cuál es tu dirección de oficina? Es 5156 Main Street.
¿Cuál es tu dirección de e-mail? Es juan@functionallyfluent.net.
¿Cuál es tu página de internet? Es www.functionallyfluent.com

P 19

padre– father
hermano– brother
hijo– son
abuelo– grandfather
tío– uncle
sobrino– nephew
nieto– grandson
esposo– husband
novio– boyfriend
primo– cousin
madre– mother
hermana– sister
hija– daughter
abuela– grandmother
tía– aunt
sobrina– niece
nieta– granddaughter
esposa– wife
novia– girlfriend
prima– cousin

P 20

jefe- boss
colega, compañero/a de trabajo– co-worker
cliente– client, customer
invitado/a– guest
colaborador(a)– collaborator
asociado/a– associate
asistente– assistant
trabajador(a)– worker, especially manual laborer
socio/a– partner (business partner, partner in a firm)
empleado/a – employee

P 23

1. myself 2. second 3. third 4. you

SER (to be)	HACER (to do, to make)	TENER (to have)	LLAMARSE (to be called)	GUSTARLE (to be pleasing to)
yo – soy	yo – hago	yo – tengo	yo – me llamo	yo – me gusta
tú – eres	tú – haces	tú – tienes	tú – te llamas	tú – te gusta
él/ella/usted – es	él/ella/usted – hace	él/ella/usted – tiene	él/ella/usted – se llama	él/ella/usted – le gusta

sujeto (subject)	reflexivo (reflexive)	indirecto (indirect object)	posesivo (possessive)
yo (I)	me (as in "me llamo")	me (as in "me gusta...")	mi(s) – (mi tiempo libre, mis gatos)
tú (you - informal)	te (as in "te llamas")	te (as in "te gusta...")	tu(s) – (tu tiempo libre, tus gatos)
él/ella/usted	se (as in "se llama")	le (as in "le gusta...")	su(s) – (su tiempo libre, sus gatos)

P 24

3. hispano/a – Hispanic, afroamericano/a – African-American, negro/a – black, asiático/a – Asian, norteamericano/a – (North) American, anglo - Anglo

P 26

2)
1. F (Sara es de Austin.)
2. F (Sara está casada. Tiene un esposo. Se llama Andy.)
3. F (Sara no es el jefe. Sara es asistente, secretaria y recepcionista.)
4. F (Sara vive en un apartamento.)
5. C
6. F (Andy no es bajo. Es alto.)
7. C (A veces en su tiempo libre Andy va de compras con Sara.)
8. F (Andy trabaja. Es abogado.)

3)

	SARA	ANDY
ORIGEN	Austin	Michigan
AÑOS	42 (cuarenta y dos)	44 (cuarenta y cuatro)
TRABAJO	asistente, secretaria, recepcionista	abogado
TIEMPO LIBRE	ir de compras	jugar golf, ir de compras con Sara
DESCRIPCIÓN	inteligente, trabajadora	alto, simpático

P 35

1) el postre, las naranjas, los libros, la canción
3)

3 2 1 4	2 1 3 4	3 1 2

P 41

This is one example of what the office described on p 41 might look like.

P 43

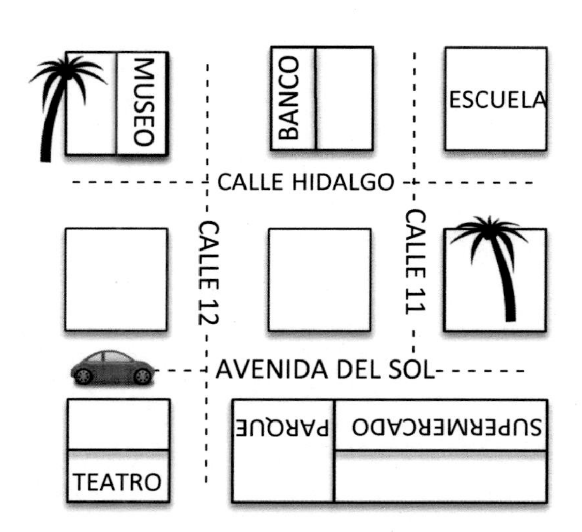

PP 45-46

1-e, 2-b, 3-a, 4-d, 5-c

P 48

Dialog a – Se llama, Tienes, De dónde es
Dialog b – me llamo, Eres, Soy, me gusta leer y salir con mis amigos, qué haces en tu tiempo libre
Dialog c – se llama, Tengo, tiene, Se llama

P 49

1) Examples of first person singular form:
Dialog a – none
Dialog b - me llamo, Me llamo, soy, Soy, mi (as in, en mi tiempo libre), me gusta, Me gusta
Dialog c – tengo

2) Examples of second person singular (informal) form:
Dialog a – tu (as in, tu novia), Tienes
Dialog b – Eres, tú, te gusta, tú, haces, tu (as in, tu tiempo libre)
Dialog c – tu (as in, tu hermano)

3) Examples of third person singular form:
Dialog a – se llama, se llama, está, Es, es, Es
Dialog b – none
Dialog c – Se llama, se llama, tiene, Se llama, tiene

4)
a) 1st person singular – yo
b) 2nd person singular informal – tú
c) 3rd person singular – él/ella

P 50

VERBOS (FORMAS SINGULARES)

	SER	HACER	TENER	LLAMARSE
yo (I)	soy	hago	tengo	me llamo
tú (you - informal)	eres	haces	tienes	te llamas
él/ella/usted (he/she/you, formal)	es	hace	tiene	se llama

GUSTARLE
me gusta
te gusta
le gusta

PRONOMBRES

sujeto	reflexivo	indirecto	posesivo
yo	me	me	mi(s)
tú	te	te	tu(s)
él/ella/usted	se	le	su(s)

P 59

VERBOS (FORMAS SINGULARES Y PLURALES)

	SER	HACER	TENER	LLAMARSE
yo (I)	soy	hago	tengo	me llamo
tú (you - informal)	eres	haces	tienes	te llamas
él/ella/usted (he/she/you, formal)	es	hace	tiene	se llama
nosotros/as (we)	somos	hacemos	tenemos	nos llamamos
ellos/ellas (they) **ustedes** (y'all,)	son	hacen	tienen	se llaman

GUSTARLE
me gusta
te gusta
le gusta
nos gusta
les gusta

PRONOMBRES

sujeto	reflexivo	indirecto	posesivo
yo	me	me	mi(s)
tú	te	te	tu(s)
él/ella/usted	se	le	su(s)
nosotros/as	nos	nos	nuestro/a(s)
ellos/ellas/ustedes	se	les	su(s)

P 61

	Silvia	Su familia	Bárbara	Su familia
ORIGEN	EEUU (Estados Unidos)	EEUU (Estados Unidos)	Houston	Italia
AÑOS	30	Mikey (sobrino) 7	30	Mark, Amber 10
TRABAJO	maestra	X	periódico	X
TIEMPO LIBRE	bailar	X	salir con sus niños al parque y al cine	salir con su madre al parque y al cine
DESCRIPCIÓN	X	Mikey – guapo, inteligente	X	Mark, Amber – mellizos (twins)
CASA/APTO	apto centro de Houston	X	casa en Kingwood, TX	

P 68

yo	voy
tú	vas
él/ella/usted	va
nosotros/nosotras	vamos
ellos/ellas/ustedes	van

muy frecuente — **muy raro**

siempre · casi siempre · mucho/ a menudo · a veces · no mucho · casi nunca · nunca

P 71 1) un 2) El 3) una 4) un 5) El, la 6) unos or XXXX (no article) 7) una, el 8) La, una 9) la, los, las 10) un

P 72

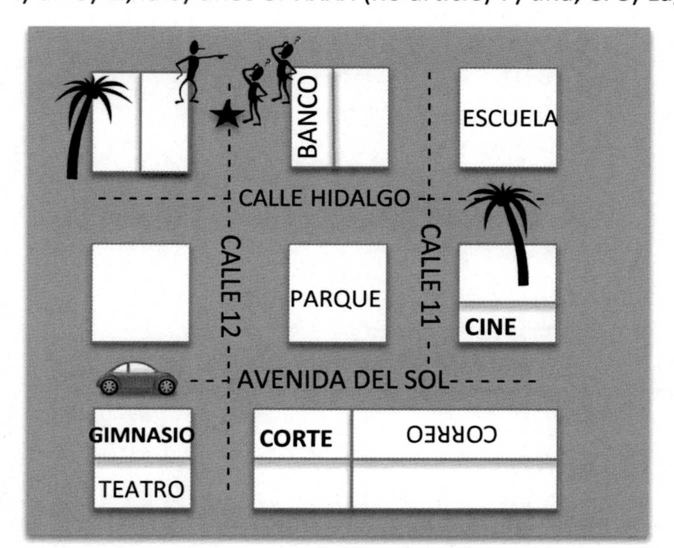

P 73

	SER	**ESTAR**
yo	soy	estoy
tú	eres	estás
él/ella/usted	es	está
nosotros	somos	estamos
ustedes/ellos/ellas	son	están

P 75

a) These adjectives have a positive connotation: fantástico/a, bueno/a, divertido/a, feliz, emocionado/a, rico/a, delicioso/a, bonito/a, lindo/a, hermoso/a, guapo/a, contento/a, interesante
These have a negative connotation: malo/a, terrible, aburrido/a, frustrado/a, enojado/a, cansado/a, enfermo/a
b) These adjectives describe physical characteristics: chiquito/a, enorme, bonito/a, lindo/a, hermoso/a, guapo/a, alto/a, grande,
These adjectives describe personality: most others on the list
c) These adjectives describe characteristics considered to be intrinsic: malo/a, fantástico/a, terrible, bueno/a, divertido/a, rico/a, delicioso/a, enorme, chico/a, bonito/a, lindo/a, hermoso/a, guapo/a, grande, viejo, alto/a, joven, interesante
d) These adjectives describe states or emotions seen as temporary: aburrido/a, feliz, frustrado/a, emocionado/a, enojado/a, contento/a, cansado/a, enfermo/a

P 77

	IR
yo	voy
tú	vas
él/ella/usted	va
nosotros/as	vamos
ustedes/ellos/ellas	van

a) We use ser to talk about characteristics or states viewed as intrinsic.
b) We use estar to talk about states viewed as temporary, such as feelings.

	SER	ESTAR
yo	soy	estoy
tú	eres	estás
él/ella/usted	es	está
nosotros/as	somos	estamos
ustedes/ellos/ellas	son	están

P 80

From left to right and zig-zagging down: Es la una. Son las dos. Son las tres. Son las tres y cinco. Son las cinco y cinco. Son las once y cinco. Son las siete y cuarto. Son las cuatro y cuarto. Son las seis y cuarto. Son las ocho y media. Son las diez y media. Es la una y media. Es la una menos diez. Son las diez menos diez. Son las cuatro menos diez. Son las tres menos cuarto. Son las ocho menos cuarto. Son las cinco menos cuarto.

P 82

Hace frío: b, i, and possibly d, f, g, j, k. Hace calor: c, h and possibly a, d, k. Hace sol: a, c, k. Hace buen tiempo: a, k. Hace mal tiempo: d, e, f, g, j, and possibly b. Hace viento: f, g, j, and possibly k. Está lloviendo: f, e. Está nevando: i. Está nublado: d, f. Es un día bonito: a, k. Hay una brisa: k.

P 83

Una boda – a wedding
el Día de los Enamorados/El Día de San Valentín – Saint Valentine's Day
un cumpleaños – a birthday party
el cuatro de julio – the Fourth of July
el Día de Acción de Gracias – Thanksgiving
la Navidad – Christmas
la Nochebuena – Christmas Eve
el Día de los Reyes/La Epifania – Three Kings' Day celebrated Jan 6
el Día de los Muertos – Mexican holiday celebrated Oct 31 – Nov 2
la Pascua (de Resurrección) – Easter
la Despedida de Año – New Year's Eve
el Año Nuevo – New Year's Day

P 85

	HABLAR	COMER	VIVIR
yo	hablo	como	vivo
tú	hablas	comes	vives
él/ella/usted	habla	come	vive
nosotros/as	hablamos	comemos	vivimos
ustedes/ellos/ellas	hablan	comen	viven

P 88

	PUERTO RICO	ESPAÑA	LOS ESTADOS UNIDOS
CASAS	muchas sin aire acondicionado central	aptos grandes, áreas urbanas, sin aire acondicionado	patios, jardines, aire acondicionado
TRABAJO/DINERO	companias norte-americanas; dólar; turismo, farmaceutica	X	trabajan mucho
VACACIONES	ir a la playa	1 mes o más	2 semanas
TIEMPO LIBRE	playa, restaurantes, familia, amigos	playa, restaurantes, familia, amigos, comen tarde, salen hasta tarde	no mucho
OTRAS COSAS	parte de EEUU	X	muchos jóvenes no viven con la familia

P 90

cien – 100
doscientos – 200
trescientos – 300
cuatrocientos – 400
quinientos – 500
seiscientos – 600
setecientos – 700
ochocientos – 800
novecientos – 900
mil – 1,000

setecientos sesenta y uno – 761
trescientos ochenta y seis – 386
sesenta mil noventa y cuatro – 60,094
cuatrocientos cinco – 405
mil doscientos treinta y tres – 1,233
ciento veinticinco – 125
doscientos treinta y tres – 233
novecientos setenta y seis – 976
cinco mil ochocientos cincuenta y tres – 5,853
quinientos sesenta y cinco - 565

SPANISH GLOSSARY

GENERAL TERMS

For topic-specific "cheat-sheets," see next pages!

1. Parts of speech (verb, adjective, noun) are not usually noted, since this will be evident in the English translation.
2. Nouns ending in "**a**" and "**as**"are feminine; most others are masculine. Exceptions to this rule are noted.

Spanish	English
a	at, in, on
a veces	sometimes
accesorios	accessories
aceptamos	we accept
aceptar	to accept
adiós	good-bye
agua	water
ahí	there
al	to the, at the
algo	something
¿Algo para tomar?	Something to drink?
allí	(right) there
almorzar	to have lunch
animal	animal
aparatos	gadgets
aquí	here
arroba	at-sign, @
ascensor	elevator
auto	car
autobús	bus
azul	blue
balcón	balcony
banco	bank
bebida	drink (noun)
bien	well
bienvenido/a(s)	welcome
biftec	steak
blanco	white
¡Buen provecho!	Enjoy your meal!
Buenas noches.	Good night.
Buenos días.	Good day.
calle	street
camisa	shirt
canción	song
carne	meat
casa	house
casado/a	married
CDs	CDs
celular	cellular (phone)
cenar	to have dinner
centavos	cents
claro	of course
comida	food
¿Cómo es...?	What's ... like?
¿Cómo está?	How is he/she?, How are you? (sing, formal)
¿Cómo estás?	How are you? (sing, informal)
¿Cómo se dice...?	How do you say..?
¿Cómo se escribe...?	How do you write/How is ... spelled?
¿Cómo...?	How...?
compañero/a de trabajo	co-worker
compañía	company
comprar	to buy
compro	I buy
con	with
Con permiso.	Excuse me.
conexión (f)	connection
consejero/a	counselor
contento/a	happy
contraseña	password
correcto	correct, right
correo electrónico	email
correr	to run
corto/a	short
cosa	thing
costumbre	habit, custom
cuadro	(framed) picture
¿Cuál...?	Which...?
¿Cuánto...?	How much...?
¿Cuántos/as...?	How many...?
cuerpo	body
cumpleaños (m sing)	birthday
de	of, from
¿De dónde...?	From where...?
de nada	You're welcome.
de vacaciones	on vacation
decidir	to decide
decir	to say
decirse	to mean, to be said
decoración (f)	decoration
dejar	to leave
del	of the
delicioso/a	delicious
deportes	sports
después	after
día (m)	day
diagonal	slash /
dice	he/she/it says
dirección (f)	direction, address
divertido/a	fun
¡Diviértete!	(You, sing.) Have fun!
divorciado/a(s)	divorced
donde	where (relative pronoun)
¿Dónde...?	Where...? (question word)
¿Dónde queda...?	Where is...(located)?
dormir	to sleep
ducharse	to shower
duerme	he/she/it sleeps
el	the (m. sing.)
él	he
electrónico	electronic
ella	she
ellos/ellas	they
emocionado/a	excited
empezar	to start, to begin
empieza	he/she/it starts
en	in, at, on
¿En qué mes estamos?	What month is it?
¿En qué trabajas?	What's your job? (...do you work in?)
en vivo	live (adj.)
encantado/a	Nice to meet you.
enfermo/a	sick, ill
enojado/a	angry, mad
enorme	huge, enormous
entonces	so, then
eres	you are (sing. inf.)
es	he/she/it is
Es la una.	It's one o'clock.
escribe	He/she/it write.
escribir	to write
escribirse	to be spelled
escuchar	to listen to

escuela	school
español	Spanish
especialmente	especially
está	He/she/it is
Está aquí.	Here it is.
Está bien.	Okay.
estación (f)	station, season
estar	to be
estás	you are (sing. inf.)
este/a	this
estilo	style
estos/as	these
estudiar	to study
etapa	phase
europeo	European
exactamente	exactly
fácil	easy
familia	family
fantástico/a	fantastic
favorito/a	favorite
feliz	happy
financiero/a	financial
fin de semana	weekend
flores (f)	flowers
frustrado/a	frustrated
fruta	fruit
fuerte	strong
garaje	garage
gimnasio	gym
gordo/a	fat
gracias	thank you
grande	big
guapo/a	handsome
guión	hyphen
gustar	to be pleasing
gustar(le)	to be pleasing to
gusto	pleasure
hablar	to speak
hace	he/she/it does, he/she/it makes
hacer	to do, to make
haces	You do, You make (sing. inf.)
hago	I do, I make
hasta	until
hasta luego	See you later.
hay	there is, there are
hermoso/a	gorgeous
hola	hello
hombre	man
hora	hour
hoy	today

igualmente	likewise
información (f)	information
ingeniero/a	engineer
interesante	interesting
isla	island
joven	young
juego	game
jugar	to play
juguete	toy
juntos	together
la mayoría	the majority
la(s)	the (feminine)
lámpara	lamp
largo/a	long
le	(to) him/her/it
les	(to) them
le gusta, le gustan	He/she/it likes ... (Literally, ... pleases him/her/it.)
libre	free
libro	book
lindo/a	pretty, cute
llamarse	to be called, to call oneself
llave	key
los	the (masc. or mixed, plural)
luego	then, later
lugar	place
malo/a	bad
mañana	tomorrow
manejar	to drive, to manage
más	more
mayor	older, the oldest
me	(to) me
me gusta, me gustan	I like ... (Literally, ... please(s) me.)
me llamo	I call myself, my name is
mellizos	twins
menú	menu
mes	month
mi(s)	my
muchacho/a	much, a lot
mucho	guy/girl
Mucho gusto.	Nice to meet you.
muebles	furniture
mujer (f)	woman
museo	museum
música en vivo	live music
muy bien	very well

nada	nothing
necesitar	to need
niños	children
no	no
No hay de qué.	You're welcome.
no me gusta	I don't like ... (Literally, ... doesn't please me.)
no mucho	not much
no muy bien	not very well
noche (f)	night
nombre	name
nosotros/as	we, us
nuevo/a	new
número	number
nunca	never
objeto	object
oficina	office
ordenar	order
otro/a(s)	other(s)
padres	parents
página	page
pantalones	pants
para	for, in order to
para nada	(not) at all
pareces	You look, you seem
parque	park
película	movie
pequeño/a	small, little
perfecto/a	perfect
periódico	newspaper
pero	but
persona	person
piscina	swimming pool
piso	floor
placer	pleasure
playa	beach
poco	a little, little
por	for, through, by
por ejemplo	for example
por favor	please
¿Por qué...?	Why...?
postre	dessert
preferido/a	preferred, favorite
presentar	to present, to introduce
productos	products
pueblo	town
punto	point, dot, period
¡Qué casualidad/ coincidencia!	What a coincidence!

¿Qué haces…?	What do you do…? (sing, inf)
¿Qué quisiera ordenar?	What would you like to order?
¿Qué tal?	What's up?
¿Qué tipo de…?	What type of…?
¿Qué…?	What…?
querer	to want
¿Quién…?	Who…?
quiero	I want
realmente	actually, really
reggaetón	Latin rap
reservación (f)	reservation
restaurante	restaurant
revistas	magazines
rico/a	rich, delicious
rojo/a	red
ropa	clothes
sala	living room
salir	to go out
se	himself/herself, itself (reflexive pronoun)
se dice	means, is said
se escribe	is spelled, written
se llama	is called, his/her/its name is
seguir	to follow
semana	week
señor(a)	sir, ma'am
ser	to be
si	if
sí	yes
siempre	always
Son las dos.	It's two o'clock.
soy	I am
soya	soy
su(s)	your, his/her
suéter	sweater
supermercado	supermarket
también	also
taza	cup
te	(to) you, yourself (indirect and reflex. pronoun)
te gusta	You like … (Literally, … pleases you.)
teléfono	telephone
teléfono celular	cell phone
televisión	television, TV
tener	to have
tengo	I have
terrible	terrible
ti	(to, for) you
tiempo	time
tiempo libre	free time
tiene	he/she/it has
tienes	you have (sing., inf.)
tocar piano	to play piano
tomar	to drink, to take
trabajar	to work
trabajas	you work (sing., inf.)
trabajo	job
trabajo	I work
transportación/ transporte	transportation
triste	sad
tú	you (sing., inf.)
tu(s)	your
usted	you (sing., formal)
ustedes	y'all (formal or inf.)
va de compras	he/she/it goes shopping
vacaciones (f.)	vacation
vamos	we go
vegetales	vegetables
¡Ven, que te lo presento!	Come on, I'll introduce you!
vender	to sell
viajar	to travel
viejo/a	old
vivir	to live
vocabulario	vocabulary
voltear	to turn around
yo	I
zapatos	shoes

NÚMEROS 0-100 – NUMBERS 0-100

cero	0	veinte	20	cuarenta	40	sesenta	60	ochenta	80
uno	1	veintiuno	21	cuarenta y uno	41	sesenta y uno	61	ochenta y uno	81
dos	2	veintidós	22	cuarenta y dos	42	sesenta y dos	62	ochenta y dos	82
tres	3	veintitrés	23	cuarenta y tres	43	sesenta y tres	63	ochenta y tres	83
cuatro	4	veinticuatro	24	cuarenta y cuatro	44	sesenta y cuatro	64	ochenta y cuatro	84
cinco	5	veinticinco	25	cuarenta y cinco	45	sesenta y cinco	65	ochenta y cinco	85
seis	6	veintiséis	26	cuarenta y seis	46	sesenta y seis	66	ochenta y seis	86
siete	7	veintisiete	27	cuarenta y siete	47	sesenta y siete	67	ochenta y siete	87
ocho	8	veintiocho	28	cuarenta y ocho	48	sesenta y ocho	68	ochenta y ocho	88
nueve	9	veintinueve	29	cuarenta y nueve	49	sesenta y nueve	69	ochenta y nueve	89
diez	10	treinta	30	cincuenta	50	setenta	70	noventa	90
once	11	treinta y uno	31	cincuenta y uno	51	setenta y uno	71	noventa y uno	91
doce	12	treinta y dos	32	cincuenta y dos	52	setenta y dos	72	noventa y dos	92
trece	13	treinta y tres	33	cincuenta y tres	53	setenta y tres	73	noventa y tres	93
catorce	14	treinta y cuatro	34	cincuenta y cuatro	54	setenta y cuatro	74	noventa y cuatro	94
quince	15	treinta y cinco	35	cincuenta y cinco	55	setenta y cinco	75	noventa y cinco	95
dieciséis	16	treinta y seis	36	cincuenta y seis	56	setenta y seis	76	noventa y seis	96
diecisiete	17	treinta y siete	37	cincuenta y siete	57	setenta y siete	77	noventa y siete	97
dieciocho	18	treinta y ocho	38	cincuenta y ocho	58	setenta y ocho	78	noventa y ocho	98
diecinueve	19	treinta y nueve	39	cincuenta y nueve	59	setenta y nueve	79	noventa y nueve	99
								cien	100

NÚMEROS 100-1,000,000
NUMBERS 100-1,000,000

cien	100	setecientos	700	cuatro mil	4000
doscientos	200	ochocientos	800	cinco mil	5000
trescientos	300	novecientos	900	seis mil	6000
cuatrocientos	400	mil	1000	siete mil	7000
quinientos	500	dos mil	2000	ocho mil	8000
seiscientos	600	tres mil	3000	nueve mil	9000
				diez mil*	10,000*

diez mil*	10,000*	cuarenta mil	40,000	setenta mil	70,000
once mil	11,000	cuarenta y un mil	41,000	setenta y un mil	71,000
doce mil	12,000	cuarenta y dos mil	42,000	setenta y dos mil	72,000
trece mil	13,000	cuarenta y tres mil	43,000	setenta y tres mil	73,000
catorce mil	14,000	cuarenta y cuatro mil	44,000	setenta y cuatro mil	74,000
quince mil	15,000	cuarenta y cinco mil	45,000	setenta y cinco mil	75,000
dieciseis mil	16,000	cuarenta y seis mil	46,000	setenta y seis mil	76,000
diecisiete mil	17,000	cuarenta y seite mil	47,000	setenta y siete mil	77,000
dieciocho mil	18,000	cuarenta y ocho mil	48,000	setenta y ocho mil	78,000
diecinueve mil	19,000	cuarenta y nueve mil	49,000	setenta y nueve mil	79,000
veinte mil	20,000	cincuenta mil	50,000	ochenta mil	80,000
veintiun mil	21,000	cincuenta y un mil	51,000	ochenta y un mil	81,000
veintidos mil	22,000	cincuenta y dos mil	52,000	ochenta y dos mil	82,000
veintitres mil	23,000	cincuenta y tres mil	53,000	ochenta y tres mil	83,000
veinticuatro mil	24,000	cincuenta y cuatro mil	54,000	ochenta y cuatro mil	84,000
veinticinco mil	25,000	cincuenta y cinco mil	55,000	ochenta y cinco mil	85,000
veintiseis mil	26,000	cincuenta y seis mil	56,000	ochenta y seis mil	86,000
veintisiete mil	27,000	cincuenta y siete mil	57,000	ochenta y siete mil	87,000
veintiocho mil	28,000	cincuenta y ocho mil	58,000	ochenta y ocho mil	88,000
veintinueve mil	29,000	cincuenta y nueve mil	59,000	ochenta y nueve mil	89,000
treinta mil	30,000	sesenta mil	60,000	noventa mil	90,000
treinta y un mil	31,000	sesenta y un mil	61,000	noventa y un mil	91,000
treinta y dos mil	32,000	sesenta y dos mil	62,000	noventa y dos mil	92,000
treinta y tres mil	33,000	sesenta y tres mil	63,000	noventa y tres mil	93,000
treinta y cuatro mil	34,000	sesenta y cuatro mil	64,000	noventa y cuatro mil	94,000
treinta y cinco mil	35,000	sesenta y cinco mil	65,000	noventa y cinco mil	95,000
treinta y seis mil	36,000	sesenta y seis mil	66,000	noventa y seis mil	96,000
treinta y siete mil	37,000	sesenta y siete mil	67,000	noventa y siete mil	97,000
treinta y ocho mil	38,000	sesenta y ocho mil	68,000	noventa y ocho mil	98,000
treinta y nueve mil	39,000	sesenta y nueve mil	69,000	noventa y nueve mil	99,000

cien mil*	100,000*	seiscientos mil	600,000
doscientos mil	200,000	setecientos mil	700,000
trescientos mil	300,000	ochocientos mil	800,000
cuatrocientos mil	400,000	novecientos mil	900,000
quinientos mil	500,000	un millón	1,000,000

* In some countries including Spain, the thousands place is marked by a period, not a comma – one thousand is shown as 1.000, four-thousand five-hundred is 4.500 and so on. In other countries including Mexico, commas are used – 1,000, 4,500, and so on.

SPANISH GLOSSARY

TOPIC-SPECIFIC "CHEAT SHEETS!"

1. Parts of speech (verb, adjective, noun) are not noted, since this will be evident in the English translation.
2. Nouns ending in -**a** and -**as** are feminine; most others are masculine. Exceptions to this rule are noted.

TRABAJOS - JOBS

abogado/a	lawyer	**enfermero/a**	nurse
actor/actriz (f)	actor/actress	**estudiante** (m,f)	student
artista (m,f)	artist	**gerente** (m,f)	manager
atleta profesional (m,f)	professional athlete	**hombre/mujer** (f) **de negocios**	businessman/woman
cantante (m,f)	singer	**ingeniero/a**	engineer
científico/a	scientist	**maestro/a**	teacher
consultor(a)	consultant	**modelo** (m,f)	model
doctor(a), médico	doctor	**secretario/a**	secretary
empleado/a	employee	**supervisor(a)**	supervisor
empresario/a	entrepreneur	**vendedor(a)**	salesman/woman

TIEMPO LIBRE – HOBBIES

Spanish	English	Spanish	English
bailar	to dance	**jugar fútbol americano**	to play football
correr	to jog, to run	**jugar golf**	to play golf
montar bicicleta	to ride a bike	**leer**	to read
dormir	to sleep	**nadar**	to swim, to go swimming
ir a fiestas	to go to parties	**oír música**	to listen to music
ir al cine	to go to the movies	**salir con los amigos**	to go out with friends
ir de compras	to go shopping	**tocar guitarra**	to play guitar
jugar baloncesto/básquetbol	to play basketball	**ver televisión**	to watch TV
jugar con los niños	to play with the kids	**viajar**	to travel

FAMILIA – FAMILY

Spanish	English	Spanish	English
abuela	grandmother	**tío**	uncle
abuelo	grandfather	**nieta**	granddaughter
esposa	wife	**nieto**	grandson
esposo	husband	**novia**	girlfriend
hermana	sister	**novio**	boyfriend
hermano	brother	**padre**	father
hija	daughter	**prima**	cousin (female)
hijo	son	**primo**	cousin (male)
madre (f)	mother	**sobrina**	niece
tía	aunt	**sobrino**	nephew

COMPAÑEROS DE TRABAJO – COWORKERS

Spanish	English	Spanish	English
asistente (m,f)	assistant	**invitado/a**	guest
asociado/a	associate	**jefe/a**	boss
cliente (m,f)	client	**socio/a**	partner
colaborador(a)	collaborator	**trabajador(a)**	worker
colega (m,f), **compañero/a de trabajo**	coworker	**empleado/a**	employee

SPANISH GLOSSARY

TOPIC-SPECIFIC "CHEAT SHEETS!"

1. Parts of speech (verb, adjective, noun) are not noted, since this will be evident in the English translation.
2. Nouns ending in -**a** and -**as** are feminine; most others are masculine. Exceptions to this rule are noted.

ADJETIVOS PERSONALES – PERSONAL ADJECTIVES

Spanish	English
alto/a	tall
bajo/a	short
bonito/a	pretty, cute
estúpido/a	stupid
feo/a	ugly
flaco/a	skinny
generoso/a	generous
gordo/a	fat
inteligente	smart, intelligent
interesante	interesting
joven	young
moreno/a	dark-haired
rubio/a (Mexico - güero/a)	blond
viejo/a	old

COMIDA – FOOD

Spanish	English
arroz	rice
café	coffee
carne de res (f)	beef
cereza	cherry
chocolate	chocolate
espinacas	spinach
galleta	cookie
hamburguesa	hamburger
helado	ice cream
huevo	eggs
jamón	ham
leche (f)	milk
manzana	apple
naranja	orange
pan	bread
papa	potato
pastel	cake
pescado	fish
pollo	chicken
queso	cheese
salchicha	sausage
tomates	tomatoes
uvas	grapes
vino	wine
zanahorias	carrots

CASA Y OFICINA – HOUSE AND OFFICE

Spanish	English
baño	bathroom
cocina	kitchen
comedor	dining room
computador, computadora	computer
cuadro	(usually framed) picture
cuarto	room
cuarto, recámara, habitación	bedroom
escritorio	desk
libro	book
mesa	table
sala	living room
silla	chair

PREPOSICIONES DE LUGAR – PREPOSITIONS OF PLACE

Spanish	English
a la derecha de	to the right of
a la izquierda de	to the left of
al lado de	next to
debajo de	under
dentro de	inside of
detrás de	behind
en	in, on
en frente de	in front of
encima de	on top of
entre	between

SPANISH GLOSSARY

TOPIC-SPECIFIC "CHEAT SHEETS!"

1. Parts of speech (verb, adjective, noun) are not noted, since this will be evident in the English translation.
2. Nouns ending in -**a** and -**as** are feminine; most others are masculine. Exceptions to this rule are noted.

LUGARES – PLACES

banco	bank	**museo**	museum
centro comercial	mall, shopping center	**oficina**	office
cine	movie theater	**parque**	park
ciudad	city	**pueblo**	town
correo	post office	**restaurante**	restaurant
corte	court, courthouse	**supermercado**	supermarket
escuela	school	**teatro**	theater
gimnasio	gym	**tienda**	store, shop
hospital	hospital	**universidad**	university, college
iglesia	church	**vecindario, barrio**	neighborhood

PALABRAS COMUNES – COMMONLY-USED WORDS

Spanish	English	Spanish	English	Spanish	English
amigo/a	friend	**gato/a**	cat	**perro/a**	dog
bicicleta	bicycle	**jardín**	garden	**pluma, bolígrafo**	pen
bolsa	bag, purse	**lápiz**	pencil	**reloj**	watch
carro, coche	car	**llave (f)**	key	**revista**	magazine
carta	paper	**niño/a**	child	**sello**	stamp, seal
casa	house	**papel**	paper	**teléfono**	telephone
flores (f)	flowers	**periódico**	newpaper		

LOS DÍAS, LOS MESES, LAS ESTACIONES – DAYS OF THE WEEK, MONTHS, SEASONS

Spanish	English	Spanish	English	Spanish	English
lunes	Monday	**enero**	January	**invierno**	winter
martes	Tuesday	**febrero**	February	**primavera**	spring
miércoles	Wednesday	**marzo**	March	**verano**	summer
jueves	Thursday	**abril**	April	**otoño**	fall
viernes	Friday	**mayo**	May		
sábado	Saturday	**junio**	June		
domingo	Sunday	**julio**	July		
		agosto	August		
		septiembre	September		
		octubre	October		
		noviembre	November		
		diciembre	December		

EL TIEMPO Y EL CLIMA – WEATHER AND CLIMATE

Spanish	English	Spanish	English
¿Qué tiempo hace?	What's the weather like?	**Hace mal tiempo.**	It's bad weather out.
Hace calor.	It's hot.	**Está lloviendo.**	It's raining.
Hace frío.	It's cold.	**Está nevando.**	It's snowing.
Hace sol.	It's sunny.	**Está nublado.**	It's cloudy.
Hace viento.	It's windy.	**Hay una brisa.**	There's a breeze.
Hace buen tiempo.	It's nice weather out.	**Es un día bonito.**	It's a nice day out.

ABOUT THE AUTHOR

There's only one thing Diana Gruber loves more than learning foreign languages, and that's teaching them!

As one of the nation's foremost polyglots, she is natively- or near-natively proficient in Spanish, English, French, Italian, Portuguese, and German. What makes her most excited is sharing that talent with ***you***, and helping ***you*** become fluent in another language.

For over twenty years, Diana has taught tens of thousands of people just like you to speak another language, using the methodology in this course as a cornerstone of her teaching – and her students' success!

As an international consultant, she travels the world training in various organizations, as well as teaching Functionally Fluent!™ intensive language seminars in her own Houston-based school – www.hablahouston.com.

She is thrilled that you're holding this book in your hands, and her vision is that it will be of immense value to you and everyone you communicate with.

See more of Diana on YouTube and other media.

Acknowledgements:

The author wishes to thank the teachers and thousands of students at her school who, over the past decades, have used these books and have helped improve earlier versions.

The author also wishes to acknowledge her mother, Ada Irma Torres, for having raised her speaking Spanish and for having instilled in her a love for languages and multilingualism. ¡Gracias, Mamá!

Made in the USA
Middletown, DE
27 July 2021

44874151R00069